KB182819

# 힘들 땐<br>그만둬도<br>괜찮아

# 힘들 땐 그만둬도 괜찮아

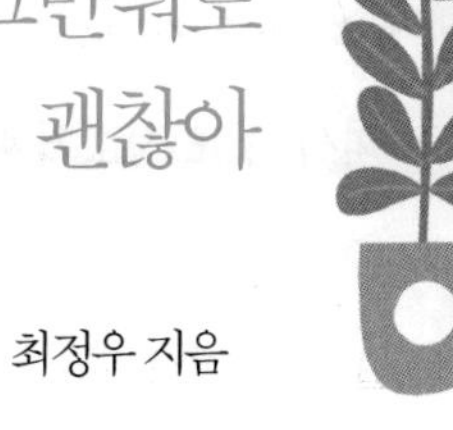

최정우 지음

반니/라이프

'회사에 가고 싶어 하는 회사원이 있을까?'

대부분의 직장인에게 회사는 가기 싫은 곳이다. 가고 싶어 하는 사람이 있다면, 그 회사 대표 정도가 아닐까?

나 역시 그랬다. 14년 회사생활을 통틀어 가고 싶어서 회사에 갔던 적은 별로 없었다. 정해진 시간에 맞추어 허겁지겁 출근했고, 정해진 시간 없이 퇴근해야 했다. 그날 출근을 해낼 수 있는 건, 그나마 퇴근할 수 있다는 희망이 있기에 가능했다. 그런데 회식이 예정된 날이라면? 출근길부터 마음은 천근만근일 것이다.

나는 왜 그토록 회사 가기가 싫었던 것일까? 언제나 쌓여 있는 업무에 대한 부담감, 잘 맞지 않는 동료와의 불편감, 보고를 앞둔 긴장감, 매일 똑같이 반복되는 지루함, 미래에 대한 불안감…. 생각해보니 그럴 만한 이유가 꽤 많았다. 그럴 때면 회의실 창문 밖에 쏟아지는 햇살을 보며 주말이 오기만을 손꼽아 기다렸다.

드디어 주말이다. 그런데 웬걸, 느지막하게 일어나 스마트폰 좀 봤을 뿐인데 일요일 오후 3시. 우울감이 밀려온다. 저녁 먹을 때쯤이면 기분은 이미 바닥이다.

'아, 내일이 월요일이라니. 믿기지 않는다.'

특히 이런 날이면 더 심하다. 불편한 부하와 회의를 해야 하는 날, 까다로운 상사를 모시고 접대가 있는 날, 보기 싫은 동료가 출장에서 돌아오는 날…. 문득 이런 생각이 든다.

'누가 나 대신 출근 좀 해주면 안 될까?'

누가 나 대신 회식도 가주고 회의도 참석해주며, 누가 나 대신 불편한 동료와 어색하지 않게 인사를 나누어준다면, 그렇게 누군가가 나 대신 하루를 출근해준다면, 나는 늘어지게 뒹굴 거리거나 시간의 구애 없이 한껏 멋을 내고 평일의 도심을 누비거나 웨이팅 없이 맛집 탐방에 나설 텐데…. 정말 상상만 해도 신나고 즐겁다. 하지만 기분 좋은 상상은 곧 비눗방울처럼 사라진다.

주위를 둘러본다. 출근길 지하철 풍경은 우울하다. 무표정하게 스마트폰을 내려다보는 사람, 팔걸이에 기대 조금이라도 부족한 잠을 청해보려는 사람, 유리창을 거울삼아 순식간에 화장을 고치는 사람….

'이들도 혹시 나처럼 우울하게 출근하고 있는 것은 아닐까? 혹시 대신 출근할 사람을 찾고 있지는 않을까?'

내가 그들 대신 출근을 해줄 수는 없었다. 하지만 그들의 무거운 출근길을 조금이나마 가볍게 만들어줄 수는 있겠다고 생각했다. 나는 직장인의 마음을 공감하고 그들에게 힘을 줄 수 있다 믿었으니까. 그들의 마음도 왠지 내 마음 같았으니까.

신라면세점 서울본점, 인천공항점 등에 근무하며 약 1,000명의 판매협력사원들과 동료 직원들을 만났다. 그 만남 속에 많은 고민과 많은 감정을 만났다. 그 감정들을 모른척하고 싶지 않았다. 틈날 때마다 알아차리고 공감해주고 싶었다. 그렇게 나는 그들의 일상 속 상담사 역할을 자처했다. 나를 통해 그들의 얼굴과 마음 색깔이 밝아지는 것을 볼 때면 주체할 수 없는 기쁨을 느꼈다.

'이게 바로 내 일이로구나.'

심리상담 공부를 좀 더 전문적으로 하고 싶었다. 내가 느꼈던 우울함을 품고 있을 직장인들에게 보다 전문적이고 효과적인 도움을 주고 싶었다. 가톨릭대학교 상담심리대학원에서 보낸 2년 반의 시간은 나에게 깊고 신선한 배움을 선사했다.

이 책은 직장인이라면 누구나 공감할 만한 37가지 심리 고민을 다루고 있다. 직장에서 직접 상담했던 사례와 직간접적으로 경험했던 사례, 그리고 직장인이라면 누구나 고민할 만한 사례들을 모아 질문글로 만들었다. 거기에 나의 경험과 상담심리 이론을 바탕으로 답글을 썼다. 현실과 이론, 어느 한쪽에도 치우치지 않은 유용한 직장인 전문 심리상담서 역할을 할 것으로 기대한다.

비록 지면을 통한 상담이지만 글 쓰는 내내 나 역시 공감했다. 이제는 이 책을 읽는 당신이 공감하고 위로 받을 차례다.

죽고 싶을 만큼 우울하진 않지만 그래도 힘든 하루의 시작이다.

오늘도 우울한 감정을 숨긴 채 출근해야 하는 직장인들과 이 책을 나누고 싶다.

차례

1장

# 모든 감정의 주인은 나

세상에는 딱히 좋거나 나쁜 것이 없다.
우리 생각이 그렇게 만들 뿐이다.

**윌리엄 셰익스피어**William Shakespeare

'내가 이 말을 하면 저 사람은 어떻게 생각할까?'

'이렇게 행동해도 될까?'

'상대방이 오해하지 않을까?'

우리는 직장에서 하루에도 몇 번씩 이런 생각을 합니다. 그리고 그 생각들은 셀 수 없이 다양한 감정을 만들어냅니다. 우울, 불안, 초조, 자존감 저하, 무기력, 인정 욕구, 시기, 질투, 경쟁심 등…. 생활에서 실제로 느끼는 감정이지만 정확한 이름조차 붙일 수 없는 감정들이 더 많습니다. 그만큼 우리의 감정은 섬세하고 다양하기 때문입니다.

우리의 감정은 우리 마음에서 출발하는 경우가 많습니다. 타인과 환경은 그대로인데 내 마음이 변하면 모든 게 달라 보이고 그러잖아요. 우울도 마찬가지입니다. 내 마음이 우울하면 뉴스도 갑갑하고, 친구의 카톡도 짜증스럽고, 부장님의 지시도 쓸데없어 보입니다. 이것은 우리 마음이 모든 감정의 출처임을 증명합니다.

심리학자 알프레드 아들러Alfred Adler는 우리가 바꿀 수 없는 것 두 가지가 있다고 했습니다. 나 자신의 과거와 다른 사람의 마음입니다. 다른 사람의 마음을 바꾸려 아무리 노력해도 실제로 바꾸기는 쉽지 않습니다. 그 사람의 마음은 그 사람의 것이기 때문입니다.

진인사대천명盡人事待天命이라고 하지 않았던가요? 할 수 있는 최선의 노력을 다하고 나머지는 하늘의 뜻을 기다린다는 뜻입니다. 그러니 혹시라도 다른 사람의 마음을 바꾸는 데 실패했다고 낙담할 필요는 없습니다. 대신 내가 할 수 있는 일을 하면 됩니다. 그것은 내 마음을 바꾸는 일입니다. 내 마음은 내 것이기 때문입니다. 내 마음을 바꾸면 세상도 달라 보입니다.

예를 들어 볼게요. 비가 내립니다. 이 상황을 어떻게 생각해 볼 수 있을까요?

'요즘 너무 건조한 날씨가 계속되었는데, 이렇게 비가 오니 공기도 깨끗해지고 꽃과 나무가 좋아하겠어.'

'야호, 드디어 며칠 전 장만한 핑크빛 레인부츠를 회사 동료들에게 보여줄 찬스가 왔군.'

'아, 지난 주말에 세차 안 하길 잘했어. 했으면 억울할 뻔했네.'

비가 내린다는 사실 하나만으로, 그리고 당신이 먹는 마음 하나만으로 얼마든지 행복을 느낄 수 있습니다. 우리 주위에는 이처럼 행복거리가 무궁무진합니다. 하지만 당신이 '행복해지기로' 마음먹지 않는다면 이런 '행복거리'들은 아무런 효과가 없습니다.

우리는 흔히 '어떤 상황 때문에' 또는 '누구 때문에' 내가 지금 이런 감정을 느낀다고 말합니다.

'날씨가 우중충하니 내 기분도 꾸물꾸물하네.'

'네가 그런 식으로 말을 하니까 내가 화가 나는 거야!'

'네가 늦게 와서 내 기분이 안 좋아졌어.

'당신이 먼저 나한테 그런 식으로 말을 했잖아!'

이 모든 말 속에는 내 기분과 감정이 전적으로 상대방과 환경에 달렸음을 전제로 합니다. 즉 내 마음을 결정하는 주도권이 상대에게 있음을 인정하는 꼴입니다. 내 마음을 내 마음대로 할 수 없다면 진정한 내 마음이라고 할 수 있을까요?

이제부터 내가 생각하는 대로 내가 마음먹는 대로 내 마음을 만들어봅시다. 찰흙 같은 마음을 만들어 동그란 그릇에도 넣어보고, 별 그릇이나 호리병에도 담아봅시다. 한곳에만 머물지 말고 이곳저곳 마음대로 옮겨 봅시다. 그야말로 '내 마음대로'죠.

그렇다고 한 곳에만 오래 머물지는 말았으면 좋겠습니다. 너무 오래 머물면 금세 굳어지기 마련입니다. 마음이 굳기 전에 물을 바르고 조물조물 해줘야 합니다. 내 마음이 다른 사람의 지배를 받지 않도록, 내가 원하는 마음으로 만들어야 합니다. 모든 감정의 주인은 나입니다. 그러니 내가 가장 먼저 해야 할 일은 내 감정들을 알아차리고 인정하는 것입니다.

'아, 내가 저 사람이 진급한 것을 시기하고 있구나.'

'한동안 자리를 비우는 거에 미안함을 느껴 내가 동료 직원들의 눈치를 살피고 있구나.'

'내가 공채 출신 직원들에게 열등감을 느끼고 있구나.'

감정을 알아차리기 위해 우선 내 감정을 인정합시다. 감정 자체를 부정해서는 내 감정의 주인이 내가 될 수 없기 때문입니다. 눈앞에 놓인 차가 내 것이 아니라고 생각하는데 어떻게 그 차를 운전할 수 있을까요? 감정을 받아들이고 그 감정들을 어떤 마음으로 대할지 선택해야 합니다. 그리고 그 선택은 '나'에게 달려 있습니다.

## 01

# 거짓말하고 출근을 안 했습니다

미디어 관련 중견 기업 과장 2년 차로 일하고 있는 여성입니다. 일에만 몰두하다 보니 서른을 갓 넘긴 지금도 연애는 꿈도 못 꾸고 있습니다. 그런 제가 서너 달 전부터 이상해졌습니다. 매일매일 온몸에 힘이 없고 늘 피곤합니다. 또한 전과 다르게 일도 흥미가 떨어집니다. 허기를 자주 느끼다 보니 가끔 폭식을 하기도 합니다. 업무에서 안 하던 실수도 저지르고 집중도 잘 되지 않습니다. 오늘은 월요일이었습니다. 출근 준비를 하려고 화장대 앞에 앉았는데, 순간 눈물이 나왔습니다. 회사 가기 싫다는 외침이 제 안에서 들려왔습니다. 지금까지 직장생활을 하면서 처음 있는 일이었습니다. 너무 당혹스러워 마음을 다잡으려고 애썼지만 소용없었습니다. 그래서 출근을 못 할 것 같다고 본부장님께 문자를 했습니다. 거짓말로 엄마가 편찮으시

다고 했습니다. 결근한 제가 너무 한심하고 창피하게 느껴집니다. 저 왜 이러는 걸까요? ●

## 빨리 가는 것보다 가고 싶은 곳으로 가는 게 중요

앞만 보고 달리다 보면 어느 순간 모든 것이 허무하고 무의미하게 느껴질 때가 있습니다. 그 누구보다 최선을 다해 달려왔다고 자부할수록 허무함도 커집니다. 저 역시 회사 일을 가장 우선순위로 두며 산 적이 있었습니다. 그때는 정말 일밖에 몰랐습니다.

아침에 출근하려고 샤워를 하면서부터 그날 할 일들을 생각했습니다. '오늘 미팅에 필요한 자료들을 내가 출력해 두었나? 재무팀도 한 명 불렀어야 했던 것 아닌가?' '오후에 있을 매니저 간담회에서는 무슨 얘기를 해야 하지?' 그러다 보니 샤워를 하다가도 뭔가 떠오르면 잊어버리기 전에 물 묻은 손으로 휴대전화에 메모를 하곤 했습니다. 그렇게 출근 전 업무를 시작했습니다. 그러니 퇴근을 해도 퇴근하지 못했지요. 머릿속은 온통 일로 꽉 차 있었습니다.

특히 제가 근무했던 영업점은 밤늦게까지 운영되었던 터라 언제 무슨 일이 일어날지 몰라 퇴근 후에도 항상 긴장해야 했습니다. 그렇게 2, 3년 정도 일하다 보니 어느 순간 회의감이 밀려 오더군요.

'이렇게 열심히 해서 뭐 하지?'

'이렇게 사는 게 나를 위한 삶인가, 회사를 위한 삶인가?'

열심히 일하는 이유를 진지하게 고민해보았습니다. 제가 찾은 답은 가족과의 행복이었습니다. 가족과 시간을 가지며 여유 있는 삶을 즐기고 싶은데, 그러려면 열심히 일해야 한다고 생각했던 거죠. 그런데 뭔가 이상했습니다. 가족과의 행복을 위해서 저는 '지금' 가족과의 시간을 포기하고 있었으니까요. 주객이 전도된 꼴이었습니다.

가족과 행복한 시간을 보내기 위해 회사에서 주로 시간을 보냈고, 가족과의 행복한 '미래'를 위해 가족과의 행복한 '현재'를 희생하고 있었습니다. 그 순간 가족들에게 너무나 미안한 느낌이 들었습니다. 지금은 아이가 어리지만 크고 나면 아빠인 나를 더 이상 찾지 않을 것 같았습니다. 서글픔과 아쉬움이 밀려왔지요. 그때 결심했습니다.

'지금의 행복에 집중하자.'

그때부터 가족과 더 많은 시간을 보내기 위해 노력했습니다. 무조건 회사 일을 우선에 두던 습관을 바꾸고, 일과 가족 일이 겹치면 가족 일을 우선에 두려 했습니다. 처음에는 회사에 미안한 생각도 들었지만 그렇게 해도 회사에 큰 일은 생기지 않더군요.

요즘 우리 사회는 워라밸Work and Life Balance을 점점 더 강조하고 있습니다. 일과 삶의 비율은 어느 정도가 적정선일까요? 무조건 5:5로 맞추는 것이 워라밸을 지켜나가는 것일까요? 저는 자신의 삶과 일의 황금비율이 8:2라고 생각합니다. 일이 아무리 중요해도 내 삶 자체를 대신해줄 수는 없습니다. 일도 삶 속에 자연스럽게 녹아 있어야 의미가 있지, 일로서만 남는다면 진정한 의미가 없다고 생각하기 때문입니다.

주변에서 '번 아웃 증후군Burn out Syndrome'을 호소하는 사람들을 심심치 않게 볼 수 있습니다. 번 아웃 증후군이란 의욕적으로 업무에 몰입하던 사람이 갑자기 극도의 신체적, 심리적 무기력감을 느끼는 증상을 말합니다. 한 설문조사에 의하면 대한민국 직장인 열 명 중 여덟 명이 이러한 번 아웃 증후군을 겪은

적이 있다고 합니다. 성취감을 과도하게 추구하는 사람, 오로지 목표에만 집중하는 사람, 모든 일을 완벽하게 처리해야 직성이 풀리는 사람에게서 주로 발생하는 증상입니다. 아마도 어린 시절부터 남과의 경쟁을 당연시하는 환경 속에서 자라온 우리들의 또 다른 슬픈 단면일지도 모릅니다. 지금 느끼는 무기력감과 허무함이 일시적일 수도 있습니다. 하지만 그렇다고 그대로 두면 잘 낫지 않은 감기처럼 오랫동안 지속될 수도 있습니다.

이 상황을 벗어나려면 우선 현재 기분을 그대로 인정하세요. 일에만 몰두해온 많은 직장인이 겪었거나 지금도 겪고 있는 문제입니다. '나만 왜 이럴까?' 하는 마음을 접고, 지금의 마음을 있는 그대로 이해해야 합니다. 처음 느끼는 감정이라 당황할 수도 있지만 그 감정 역시 정상입니다.

자신도 모르게 상사에게 거짓말을 하고 출근하지 않을 수 있습니다. 지금 너무 힘들고 무기력해서 출근하기 어렵다고는 솔직하게 말하기는 쉽지 않을 테니까요. 이럴 때는 차라리 상대가 납득할 만한 이유를 대는 것도 나쁘지 않은 방법입니다. 다른 이에게 피해가 없다면 말이죠. 일단 힘든 내 마음을 달래주는 것이 중요하니까요.

그리고 꼭 해야 할 일은 진정한 내 삶의 목적을 찾는 것입니다. 지금까지 무조건 앞만 보고 달려갔다면 이제는 내 안을 들여다 보아야 합니다. 앞으로 가는 것도 중요하지만 제대로 가는 것이 더 중요하니까요.

잠시 쉬다 가도록 스스로에게 허락을 구해야 합니다. 스스로 허락해야 멈출 수 있고, 스스로 멈춰야 내 안을 들여다볼 수 있습니다. 미국 소설가 마크 트웨인Mark Twain은 "어느 누구도 자신의 허락 없이는 스스로 편안해질 수 없다"고 했습니다. 일단 나의 허락을 구해야 합니다. 허락을 구하는 자신의 부탁을 들어주세요. 허락했다면 나는 어떤 사람인지, 무엇을 좋아하는지, 무엇을 할 때 시간 가는 줄 모르는지 살펴보세요. 무엇을 할 때 보람을 느끼고 희열을 느끼는지 떠올려 보세요. 이 세상을 살며 궁극적으로 찾고 싶은 삶의 의미를 정리해야 합니다. 그다음이 '일'입니다. 지금 하는 일이, 지금 매달리는 일이, 삶의 의미와 같은 방향에 있는지 검토해보는 겁니다.

아들러는 우리가 진정한 행복감을 느끼기 위해서 세 가지 인생과제를 달성해야 한다고 했습니다. 일의 과제, 친구의 과제, 사랑의 과제입니다. 일의 과제는 세 가지 인생의 행복 과제 중 하나일 뿐입니다.

언젠가 유행했던 TV 광고 카피가 떠오르네요. '열심히 일한 당신 떠나라!' 저는 이렇게 바꿔 말하고 싶습니다.

'열심히 일한 당신, 당신의 삶의 의미를 찾아 떠나라!'

## 02

# 칭찬에 인색한 팀장님과 일하는 게 너무 힘듭니다

저는 자꾸 다른 사람들 눈치를 봅니다. 윗사람뿐만 아니라 아랫사람의 눈치도 봅니다. '저 사람이 나를 어떻게 볼까, 혹시 나쁘거나 형편없게 생각하면 어쩌지?' 하는 생각이 자주 듭니다. 스스로 만족하지 못하는 일의 결과를 내놓았을 때뿐만 아닙니다. 스스로 '이만하면 아주 잘했어'라고 생각할 때도 다른 사람들의 평가가 몹시 신경이 쓰이곤 합니다. 저희 팀장님은 칭찬을 잘 안 하는 편입니다. 제가 며칠을 열심히 준비해서 보고서를 올리면 부팀장님은 종종 '응, 고생 많았어'라고 얘기해주지만, 팀장님은 '응, 알았어' 하고 끝입니다. 내심 팀장님의 칭찬을 기대했던 저는 실망감이 이만저만 아닙니다. 그런 날은 일이 손에 잡히지도 않아요. 도대체 우리 팀장님은 왜 그렇게 칭찬을 안 하는 걸까요? 돈이 드는 것도 아니고, 말 한마디에 천 냥

빚도 갚는다는데, 부하 직원 사기 진작 차원에서 칭찬 한마디 하면 될 것을 말이죠. 정말 납득이 가질 않습니다.
제가 다른 팀으로 옮기지 않는 한, 다른 팀장님이 오시지 않는 한 이런 상황은 계속 반복될 것 같아요. 걱정이 너무 큽니다. 우리 팀장님이 칭찬 좀 많이 하는 사람으로 변할 수는 없을까요?

## 가장 의미 있는 칭찬은 내가 나에게 건네는 칭찬

분명히 칭찬받을 만한 일인데 적절한 칭찬을 받지 못하면 누구나 속이 상합니다. 더구나 열심히 준비한 보고서라면 정말 허무하죠. 일할 맛이 뚝 떨어지기 마련입니다. 칭찬 한마디 하는 게 돈이 드는 것도 아닐 텐데 말이죠.

저도 팀을 한 번 옮긴 적이 있는데, 새로운 팀장님에게 거는 기대가 컸습니다. 회사 내에서 오가며 마주칠 때면 반갑게 인사해주던 분이라 함께 근무하면 좋을 것이라 생각했습니다. 그런데 막상 함께 일해 보니 실망스러운 점이 한두 가지가 아니었습니다. 팀장님은 일은 정말 열심히 했습니다. 그런데 정말 일만 한다는 게 문제였습니다. 그것도 무조건 윗분들에게 맞춘 일이었지요. 팀원들이 업무할 때 느끼는 애로사항이나 개인적인 일에는 전혀 관심이 없어 보였습니다. 당연히 칭찬도 없었죠. 저도 나중에는 헷갈리기 시작했습니다.

'칭찬을 하고 싶은데 못하는 건가, 아니면 칭찬할 생각이 전혀 없는 걸까?'

한 번은 외부 미팅에 사용할 자료를 만들어야 했는데, 초안을 만들어 보고했습니다. 그때는 별 얘기가 없었죠. 질책도 없었고, 당연히 칭찬도 없었습니다. 문제없는 자료라서 그런가 보다 하고 받아들였습니다. 그런데 그 자료를 가지고 외부 미팅을 나간 팀장님으로부터 연락이 왔습니다. "이게 뭐냐, 이건 왜 그런 것이냐, 왜 그 자료는 없느냐." 정말 황당하기 그지없었습니다. 보고할 때는 별 얘기 없다가 나중에서야 질책하는 팀장님을 도무지 이해할 수가 없었습니다. 그때 깨달았습니다. '아, 외부에서 보는 것과 직접 한 팀으로 일하는 것은 다르구나.'

그때 리더십에 대해서 참 많은 생각을 했고, 내가 만약 팀장이 되면 저러지 말아야겠다는 다짐도 했습니다. 이후에 저는 후배들에게 기회만 되면 칭찬을 했습니다. '응, 수고했어.' '정말, 잘했네.' '고생했어.' 한 번의 질책을 위해 세 번의 칭찬을 먼저

하려 노력했습니다. 칭찬이 습관이 되다 보니 하는 저도 기분이 좋고 받는 직원들도 좋은 동기부여가 되는 것 같았습니다.

그런데 이제 당신에게 물어보고 싶습니다. 왜 꼭 팀장님께 칭찬을 받아야 할까요? 일을 하는 데 상사의 칭찬이 그렇게 중요한 요소인가요? 미국 상담심리학의 권위자인 돈 딩크마이어 Don Dinkmeyer는 다음과 같이 말합니다.

> 타인의 인정이 그렇게 중요할까? 먼저 그렇지 않음을 분명히 밝히고 싶다. 자신감과 자기존중은 자기 자신의 생각과 믿음에 따라 좌우된다. (중략) 인정받지 못했다 하더라도 우울해 할 필요는 없다. 누군가 당신을 인정하지 않는다면 그것은 단지 그들의 견해일 뿐이며 그들의 비합리적인 믿음에서 나온 결론일 수 있음을 알아야 한다. 다른 사람의 인정 여부에 흔들릴 필요는 없다.
>
> 《아들러의 감정수업》, 게리 D. 맥케이 · 돈 딩크마이어

아들러 심리학에서는 타인의 인정에 그렇게 신경 쓰지 않아도 됨을 강조합니다. 타인의 평가와 인정에서 자유로워진다면 좀 더 솔직하고 주도적인 생각과 행동이 가능해집니다.

직장생활을 하면서 칭찬을 기대한 상황에 칭찬받지 못하면 좌절감을 느낄 수 있습니다. 그런 좌절감이 쌓이다 보면 내면이

약해지고 결국 자존감과 자신감의 하락으로 연결될 수 있습니다. 칭찬은 사실 남으로부터 받는 인정의 한 형태입니다. 즉 내가 한 것에 대해 남으로부터 인정받고 싶은 욕구죠. 문제는 칭찬에 중점을 두다 보면 인정의 기준이 타인에게만 맞춰져 내 기준이 아닌 타인을 따라가는 생각과 행동을 자주 하게 된다는 것입니다. 남의 인정은 받았지만 자신은 점점 잃어가게 되는 것이죠.

내가 생각하는 기준과 남이 생각하는 기준이 항상 일치할 수는 없습니다. 내가 맞는 것도 있고 상대방이 맞는 것도 있습니다. 중요한 것은 자신의 신념을 지키는 것입니다. 자신이 옳다고 생각하는 기준과 가치가 있다면 그것을 잃지 않아야 합니다. 이것은 독단과는 다릅니다. 독단은 상대방을 생각하지 않고 무조건 자신이 맞는다고 믿으며 하고 싶은 대로 생각하고 행동하는 것입니다. 하지만 신념은 자신이 틀릴 수도 있음을 인정하지만 자신이 옳다고 생각하는 방향으로 꾸준히 밀고 나아가는 것입니다. 즉 세상에 대해 열린 자세를 지니고 있느냐 아니냐가 바로 신념과 독단을 나누는 가장 중요한 기준이 될 것입니다.

신념을 가지기 바랍니다. 나의 노력과 실력을 가장 잘 아는 사람은 바로 자신입니다. 가장 잘 알고 있는 사람이 하는 평가가 가장 올바르고 정확한 평가입니다. 스스로 만족하고 보람을 느끼면, 타인의 칭찬이나 좋은 평가가 없더라도 그것으로 충분합니다. 남들이 나의 행복을 대신 평가할 수는 없는 것과 마찬가지입니다. 내가 행복하면 행복한 것이고, 내가 불행하면 불행한 것입니다. 행복은 내가 판단하고 결정하는 것이죠.

> '나의 행복'을 기준으로 생각하면 사실은 다수를 추종하는 것이 가장 리스크가 큰 선택입니다. 자신의 축이 되는 철학은 스스로 만들어야만 하기 때문입니다. 현대사회를 살아가기 위해 가장 중요한 것은 '나는 이렇게 살겠다' 하고 확실하게 말할 수 있는 자신만의 철학을 갖는 것입니다.
>
> 《10년 전을 사는 여자, 10년 후를 사는 여자》, 아리카와 마유미

행복에도 나만의 행복 철학이 필요하듯 평가에도 나만의 평가 철학이 필요합니다. 타인의 평가에 너무 많이 신경 쓰지 마세요. 내가 노력한 것에 대해 누군가 칭찬해주면 '감사합니다' 하고 잠시 느끼면 그만입니다. 칭찬을 잘 해주는 팀장님을 찾아가는 것보다 스스로 칭찬해주는 자신을 만나는 것이 더 간편하고 의미 있는 해결책입니다.

03

# 퇴근 후에도 머릿속은 회사일로 꽉 차 있습니다

광고회사에서 카피라이터로 일하는 직장인입니다. 제가 하는 일이 프로젝트 단위로 움직이고, 프로젝트가 시작되면 전쟁을 치르는 것처럼 '빡세게' 일합니다. 그러나 프로젝트가 끝나고 나면 휴식과 재충전의 시간이 어느 정도 주어집니다. 동료들은 새로운 아이템을 발굴하기 위해 여행을 가기도 하고, 전시를 보러 가거나 영화와 공연도 보러 가죠. 다들 회사를 벗어나 꿀 같은 시간을 보냅니다.

그러나 그 시간을 저는 동료들과 다르게 보냅니다. 밀린 업무를 해야 할 것 같고, 다음 프로젝트의 자료를 모아야 할 것 같아 회사를 거의 벗어나지 않고 책상에 앉아 있습니다. 저 혼자만 말입니다. 혼자 사무실에 있다 보면, '내가 왜 이러고 있나, 나도 동료들처럼 하고 싶은데' 하는 생각이 간절하지만 막상 밖으로 나가면 어디에 가야 할지 누구를 만나야 할지 모르겠습니다. 가슴만 답답해지더군요. '차라리 회사에서 서류 정리나 하자. 그러면 맘이라도 편하지. 내가 안 하면 누가 하나?' 하는 생각으로 회사를 지키는 저를 발견하곤 합니다.

퇴근 후에도 머릿속은 온통 회사일로 가득합니다. 그날 마치지 못한 일이 자꾸 떠올라 계속 머릿속에 맴돕니다. 밥을 먹는 순간에도, 아이들과 놀아주는 순간에도 회사일 생각뿐입니다. 그러다 보니 아이를 돌볼 때도 집중하지 못합니다. 그런 제 모습에 아내는 짜증을 내며, 대충 할 거면 씻고 가서 잠이나 먼저 자라고 하네요. 도대체 전 왜 이러는 걸까요? ●

## 업무 불안감의 꼬리 자르기가 필요한 순간

프로젝트가 끝나도 푹 쉬지 못하고 회사 일을 놓지 못해 스트레스를 받고 있군요. 어떻게 보면 일에 대한 열정으로 볼 수도 있습니다. 그만큼 자신의 일을 사랑하고 즐기는 것이라고요. 하지만 열정이 지나쳐 자신을 힘들게 하면 곤란합니다. 일보다는 결국 자신이 더 중요하기 때문입니다. 일은 일일 뿐이지 나를 대신할 수는 없습니다.

그런데 왜 그렇게 일을 열심히 할까요? 일을 잠시라도 손에서 놓으면 무엇인가 잘못될 것 같고 불안한가요? 일을 하지 않을 때 안정감을 느끼기보다는 왠지 모를 불안함을 느끼나요? 주어진 재충전의 시간에도 밀린 업무를 하고 다음 프로젝트의 자료들을 모아야 할 것 같은 생각이 드나요? 이는 업무에 대한 불안감 때문입니다. 불안감이 잠시라도 일과 멀어지지 않도록 강박관념을 만들고 있습니다.

불안감은 무엇 때문에 생기는 걸까요? 일을 완벽하게 수행해 내지 못해 제대로 된 평가를 받지 못할 것 같은 좌절감, 성공적인 업무 성과를 내지 못해 회사에서의 입지가 약해질 것 같은 두려움, 항상 동료들보다 앞서 나가야 한다는 조바심…. 이 모든 것이 스스로를 불안하게 만드는 것은 아닌지 걱정됩니다.

일을 열심히 하는 것은 좋지만 그 이유가 불안한 마음 때문이라면 자신을 더욱 힘들게 할 뿐입니다. 불안함은 그 끝이 없습니다. 지금 맡은 프로젝트를 성공적으로 수행했다 하더라도 불안감이 사라지지는 않습니다.

불안감을 그대로 두면 안 됩니다. 불안감은 번식력이 강해서 쉽게 다른 불안감을 낳기 때문입니다. 걱정이 꼬리에 꼬리를 무는 것처럼 말이지요. 그렇다면 어떻게 불안감을 줄여나갈 수 있을까요?

이 불안감이 어디서 온 것인지 살펴보도록 합시다. 미래에 대한 막연한 불안감일 수도 있고 동료와의 경쟁심에서 오는 불안감일 수도 있습니다. 노력을 조금이라도 게을리하면 실력이 들통날 것 같은 공포감에서 오는 불안감일 수도 있습니다. 불안감의 정체는 나만이 가장 정확히 알 수 있습니다. 그러니 솔직한 자신과 만나보세요. 내 안에 있는 무엇 때문에 불안감을 느끼는지 끈기를 가지고 스스로에게 말을 건네 봐야 합니다.

다음으로 불안감으로 떠오르는 좋지 않은 상황을 의연하게 생각하는 것입니다.

미래에 대한 불안감이 이유라고 가정해보죠. 지금 하는 모든 일을 성공적으로 수행해내지 못하면 경쟁에서 뒤처지게 된다는 생각이 듭니다. 뒤처지면 내 미래가 어두워진다는 생각에 불안감이 엄습해 옵니다. 그런데 모든 프로젝트를 성공적으로 수행해내는 사람이 있을까요? 그런 사람만이 미래에 일자리를 지켜낼 수 있다면 과연 몇 명이나 그 자리를 지키고 있을까요? 잠시 업무에서 손을 뗀다고 해서 업무에 대한 열정, 경험, 실력이 도태될까요? 오히려 잠시 업무에서 멀어짐으로써 더 나은 생각, 생각지 못한 영감, 색다른 경험들을 얻을 수도 있습니다.

휴식은 선택이 아닌 필수입니다. 휴식은 '하지

않아도 되는 것'이 아닌 어떠한 경우에도 '반드시 해야 하는 것'입니다. 미래는 누구도 알 수 없습니다. 지금 회사에서 성장할 수도 있고, 다른 회사에서 하던 일을 할 수도 있고, 전혀 새로운 일을 시작할 수도 있습니다. 세상에 할 수 있는 기회는 무궁무진합니다. 그러니 지금 할 수 있는 것에 최선을 다합시다. 그러다 보면 내 안의 불안감은 조금씩 그 모습을 감춰나갈 것입니다.

마지막으로 하고 싶은 말은 업무 불안감을 다른 생각으로 자연스레 덮어버리라는 것입니다. 회사 일을 집에까지 와서 계속 생각하게 되는 이유를 심리학에서는 '자이가르닉 효과Zeigarnik effect'로 설명합니다. 자이가르닉 효과는 마치지 못한 일을 마음속에서 쉽게 지우지 못하는 심리적 현상입니다.

시험장에서 나온 직후 자신 있게 푼 문제보다는 아리송하게 풀거나 아예 손도 못 댄 문제들이 더 잘 떠오릅니다. 친구와 신나게 통화를 하다가 순간 배터리가 나가버렸다면 어떻게 해서든 다시 연결해 통화를 끝내고 싶은 마음이 듭니다. 이러한 상황은 '무엇인가 끝내지 못했다'는 '찝찝함' 때문입니다.

회사 일을 마치지 못한 경우도 마찬가지입니다. 끝내지 못한 일에 대한 찝찝함 때문에 머릿속에서 일이 맴도는 건 매우 자연스러운 일입니다. 내가 유별나서가 아닙니다. 그럴 때는 상황을 인정하고 자연스럽게 다른 생각을 떠올려보세요. 다음 달에 갈 여행지에서 꼭 가봐야 할 명소는 어디인지, 자동차 보험을 그대로 연장할 것인지, 다른 보험사를 알아볼 것인지, 올 여름은 선풍기로 버틸 것인지 아니면 에어컨을 하나 장만할 것인지 등 생각할 거리는 너무나 많습니다. 다른 생각을 하다 보면 머릿속에서 업무는 자연스레 멀어집니다. 그렇게 다른 생각들과 섞일 때까지 그냥 내버려두세요.

어차피 내가 해결할 일입니다. 그러니 너무 걱정하지 마세요. 당장 급한 게 아니라면 미래의 자신에게 떠넘기고, 지금의 자신에게는 머리를 비워내는 편안한 시간을 선물하기 바랍니다.

04

# 저는 능력도 리더십도 없습니다

저는 능력 없는 직장인입니다. 벌써 차장 진급에서 두 번이나 미끄러졌습니다. 나름 열심히 회사생활을 했다고 생각했는데, 진급하는 데는 계속 실패합니다. '내 능력은 고작 이 정도구나. 남들도 나를 이 정도로 보겠지.' 이런 생각에 무척 속이 상하네요. 게다가 더 힘든 건, 저보다 1년 늦게 입사한 후배가 보란 듯이 차장으로 진급했다는 사실입니다. 후배의 스펙이 여러모로 저보다 뛰어나 진급이 당연하다는 생각이 들기도 합니다. 그러다가도 제 자신이 초라하고 한심하게 느껴지는 건 어쩔 수 없습니다.

'진급에서도 미끄러진 내가 무슨 선배 대접을 받겠어.' 이런 생각이 들다 보니 후배 직원들을 대할 때도 자신이 없어집니다. 그전에는 나름 리더십도 발휘하고 자신감 있게 부하 직원들을 대했거든요. 지금은 직원들 앞에서 말도 자신 있게 안 나옵니다. 다음번에는 꼭 승진해야겠다는 생각을 하면서도 한편으로는 정말 큰 부담을 느낍니다. 또 승진에서 미끄러지면 퇴사해야 하는 걸까요? 저는 정말 능력이 없는 걸까요? 어떻게 하면 다음번에 반드시 진급에 성공할 수 있을까요? ●

## 직급을 올리는 것보다 자존감을 올리는 것이 더 중요해

진급심사에서 누락되면 실망이 이만저만이 아니죠. 직장인들에게 진급이란 의미는 큽니다. 진급은 직장생활을 제대로 하고 있다는 회사의 인정이기도 합니다. 꽤 많은 직장인이 진급에서 누락되었던 경험을 가지고 있습니다. 그런 상황에 닥치면 화가 나고 서럽기도 하고 결국 회사란 공정한 기준으로 평가하고 평가받는 곳이 아니라고 생각하기도 합니다.

더구나 동기도 아닌 후배의 진급은 상처가 더 클 수밖에 없습니다. 더 위축되고 더 괴로운 심정일 것입니다. 그러면서 한편으로는 더 많은 일을 잘 해내야겠다는 생각, 진급에 도움이 되는 일이라면 어떤 것이든 성실히 하겠다는 굳은 결심, 사람들에게 좋은 평판을 얻기 위한 노력과 새벽잠을 줄여서라도 어학 등급을 올리고 말겠다는 열정…. 이런 다짐들이 마음속에 차곡차곡 쌓일 겁니다.

하지만 진급을 하려고 실력과 스펙을 쌓는 것도 중요하지만 자신의 자존감과 자신감을 먼저 높이는 것이 더 중요하다 말하고 싶습니다. '나는 실력 없다'란 좌절과 실망 상태에 빠진 자신을 내버려두어서는 안 됩니다. 자신의 내면 안으로 숨어버린 자존감과 자신감을 찾아내 용기를 북돋아줘야 합니다.

우리는 각자 나만이 가진 충분한 강점을 지니고 있습니다. 한두 마디 말이나 표정만으로도 후배들의 마음을 금세 알아차리는 대화의 기술일 수도 있고, 업무 마감 기한을 정확히 지키는 능력을 가지고 있을 수도 있습니다. 세상에 아무 능력도 없는 사람은 없습니다. 단지 스스로 능력이 없다고 생각하는 사람만 있을 뿐입니다.

자신이 능력 있는 사람이라고 믿는 자세가 중요합니다. 단지 아직 그 능력이 발휘될 수 있는 분야나 기회를 찾지 못한 것뿐입니다. 장점이 무엇인지 찾아야 합니다. 나를 가장 잘 아는 사람은 바로 나입니다. 혼자 찾기 어렵다면 가장 곁에 있는 친구에게 물어봐도 좋습니다. 진지하게 말이죠. '친구야, 물어볼 게 있는데…. 네가 생각하는 나만의 장점이 뭘까?' 진정한 친구라면 약간 낯 뜨겁긴 해도 진심 어린 목소리로 장점을 이야기해 줄 것입니다.

이렇게 괴로운 진짜 이유를 생각해봐야 합니다. 승진에서 누락이 된 것 자체가 힘이 든 것인지 아니면 승진이 누락된 자신을 보는 사람들의 시선 때문에 힘든 것인지 말이죠. 어쩌면 승진이 되지 않았다는 사실 자체보다 남들 눈에 후배로부터 추월당한 능력 없는 직원으로 비춰지는 점이 더 두려운 것일 수도 있습니다.

사회심리학자 에이미 커디Amy Cuddy는 자세의 중요성을 강조합니다. 그녀는 강한 자세를 취하는 것만으로도 강한 마음을 가질 수 있다고 말합니다. 예를 들어 허리에 손을 얹고 당당하게 서는 자세, 아무도 없을 때 책상에 다리를 올려보는 자세, 양손으로 책상을 짚고 허리를 쫙 펴고 서 있는 모습들이지요. 이런 당당한 자세가 실제로도 자신감과 용기를 가질 수 있게 만듭니다. '파워 포즈Power Pose 이론'은 '바라는 모습이 있다면 이미 그것을 이룬 것처럼 행동하라'는 전제를 내포하고 있습니다. 물론 아직까지는 이 이론에 대한 찬반논란이 많습니다. 하지만 여기서 중요한 것은 이론의 사실 여부가 아닙니다. 자신감 있는 모습으로 상대를 대해서 자신감을 갖출 수 있다면 그것이 더 중요한 일 아닐까요?

이 세상에서 '나'를 대체할 수 있는 사람은 아무도 없습니다. 그 사실을 절대 잊지 마세요. 누구에게도 대체 당하지 않을 만한 자신만의 능력이 분명 있습니다. 겉으로 들어나는 스펙을 쌓기보다는 그 누구도 훼손할 수 없는 튼튼한 내면의 스펙을 쌓는 것이 먼저입니다. 그다음 만족할 만한 수준의 능력을 쌓고 펼칠 수 있도록 꾸준한 노력을 이어가기 바랍니다.

## 05

# 사람들
# 앞에만 서면
# 몹시 불안합니다

직장생활 3년 차 소심한 직장인입니다. 저는 어려서부터 '남자답지 못하다', '목소리가 작아 소심해 보인다', 이런 말들을 자주 들어 왔습니다. 목소리가 크지 않은데다 긴장하면 덜덜 떨기까지 합니다. 또한 지나치게 조심성이 많아 새로운 일에 도전하는 것도 머뭇거립니다. 성격이 이렇다 보니 다른 사람이 무심코 던진 한마디를 두고 혼자 끙끙 앓기도 합니다.

그런 제게 큰 걱정거리가 하나 생겼습니다. 2주 뒤 지금 근무하는 팀 사람들 앞에서 프레젠테이션을 해야 합니다. 초등학교 3학년 때 선생님이 일어나서 교과서를 읽으라고 한 적이 있는데, 너무 떨려서 책을 읽기는커녕 눈물만 주르륵 흘린 적이 있습니다. 그 후로 사람들 앞에서 발표하는 게 너무 두렵습니다. 대학교에 다닐 때도 교수님과 동기들 앞에서 과제 발표를 하면 등에서 식은땀을 줄줄 흘렸습니다. 어른이 되어서 회사생활을 하면 좀 나아질 줄 알았는데, 전혀 나아지지 않았습니다. 이제 곧 있을 발표 걱정에 잠도 오지 않을 정도입니다. 마케팅 팀에서 근무하는 한 이런 발표는 자주해야 할 텐데 정말 큰일입니다. 어떻게 하면 발표를 떨지 않고 잘할 수 있을까요? 어떻게 하면 소심한 제 성격을 좀 바꿔볼 수 있을까요? ●

## 잘할 수 있다고 믿으면 정말 잘할 수 있는 것

스스로 소심하다고 생각하는 이유에는 어린 시절부터 주위 사람에게 소심하다는 말을 많이 듣고 자란 탓도 있을 것입니다. 남들은 무심코 던진 말이라도 듣는 당사자는 마음에 상처가 되기 쉽기 때문이죠. 어린 아이가 받은 상처는 유난히 마음속에 잘 저장됩니다. 어릴 적부터 들었던 소심하다는 말은 어른이 되는 과정에서 내 마음의 표현을 더 막았을 수 있습니다. 성인이 되어서도 동료 직원이 던진 지나가는 말 한마디도 쉽게 떨쳐내지 못하고 곱씹어 생각합니다. 이런 자신의 모습을 보며 스스로 답답함을 느끼기도 하고요. 소심한 성격을 가진 사람이 사람들

앞에서 발표하는 프레젠테이션은 생각만 해도 고역입니다. 그렇다고 직장생활을 하면서 완전히 피할 수 있는 일도 아니죠.

가장 먼저 해야 할 일은 스스로 용기와 자신감을 갖는 것입니다. 발표할 때 식은땀을 흘리고 버벅거리는 자신의 모습을 상상한다면 실제로 그렇게 될 확률이 높습니다. 왜냐하면 그렇게 된다고 본인이 이미 상상하고 있기 때문이지요. 그러다 보면 잘할 수 있는 상황에서도 자신의 예상에 부응하려고 실제로 버벅거리게 될 가능성이 커집니다.

심리학에서는 이를 '자기 충족적 예언Self- Fulfilling Prophecy'으로 설명합니다. 자기 스스로에게 하는 예언으로, 자신의 미래에 대한 구체적 예상과 예언을 말합니다. '그렇게 될 거야'라고 믿고 노력하면 실제로 그런 일이 발생할 가능성이 높아지는 심리적 기대 효과를 뜻하죠. 실수를 생각하면 실제로 실수할 가능성이 높아지고, 청중을 사로잡는 멋진 모습을 상상하면 실제로 그럴 확률이 높아집니다. 자신이 예상하고 믿기 때문입니다. 물론 믿기만 해서는 안 됩니다. 아무 노력을 하지 않는 게 아니라 그렇게 되도록 노력하고 시간을 투자해야 합니다.

두 번째는 '연습'입니다. '너무 당연한 거 아니야?'라고 생각할 수도 있겠네요. 맞습니다. 너무 당연한 얘기이지요. 그런데 의외로 연습과 시행착오의 중요성을 간과하는 사람들이 많습니다. 그냥 잘하기를 바랄 뿐 스스로 만족할 만큼의 노력과 시간을 투자하지는 않습니다. 그러니 떨리지 않을 때까지 연습을 하십시오. 연습은 연습 이상의 의미를 지닙니다. 연습은 발표 능력의 향상뿐 아니라 자신감 향상, 이 두 가지를 모두 가져다줍니다.

발표 능력을 향상시킬 수 있는 방법은 많습니다. 관련 책이나 영상을 찾아봐도 되고, 학원을 다녀도 좋습니다. 나에게 적합한 현실적인 방법을 찾으면 됩니다. 방법을 찾았으면 반복해서 연습해야 합니다. 친숙한 동료나 가족 앞에서 실제로 발표해보고 피드백도 들어봐야 합니다. 발표 시간을 재면서 어느 부분을 늘리고 줄일지, 강조할 점은 어디인지를 확인하십시오. 연습을 통해 본인의 장단점이 무엇인지 파악해, 장점은 강화하고 단점은 보완해나가면 됩니다. 그럼 어느 순간 많이 나아진 자신의 모습을 발견할 수 있을 겁니다.

하지만 더 중요한 것이 있습니다. 충분한 연습을 하고 나면 자신감이 생긴다는 것입니다. 심리적으로 잘 해낼 거 같다는 믿음이 강해진다는 뜻입니다. 아무 연습 없이 발표한다면 '연습하지 않았다'는 사실 그 자체에 더 긴장하고 실수할 가능성이 높아집니다. 하지만 스스로 만족할 만큼 연습을 마친 상태라면 발표하는 중간에도 '난 최선을 다해 연습했어. 이 이상 더 잘할 수는 없어'라는 생각이 듭니다. 그리고 그 생각은 자신감을 더해주어 실제로도 더 잘하게 만듭니다.

마지막으로 경험과 시간의 힘을 믿는 것입니다. 저는 모기살충제와 방향제의 마케팅을 담당한 적이 있습니다. 업무 특성상 발표할 일이 정말 많았지요. 매년 여름만 되면 모기살충제와 방향제를 바리바리 싸 짊어지고 신제품 설명회를 하러 서울과 지방을 돌아다녔습니다. 판매사원들에게 신상품 교육을 해야 했기 때문입니다. 그때 제 나이가 29살로 사회 초년생이었습니다. 교육 참가자들은 대부분 40대 중반 이후의 여성분들이었으니 발표자와 청중 사이의 나이 차가 컸습니다. 게다가 저는 사회초년생이었고 그분들은 판매 현장에서 이미 잔뼈가 굵은 베테랑분들이었죠. 정말 떨렸습니다. '지금 내가 무슨 말을 하고 있는 거지, 저분들이 내 말을 듣고 있는 건가? 이해는 하고 있는 건가?' 발표 준비를 열심히 했는데도 불안감은 쉽게 가시지 않았습니다. 첫해에는 발표를 앞두고 불안한 마음에 퇴근도 제대로 하지 못했습니다.

그런데 발표를 하는 횟수가 거듭될수록 그런 불안감은 점점 사라졌습니다. 실수했던 건 그다음 발표에서 보완을 거듭해 점점 나아졌습니다. 나중에는 요령도 생겼습니다. 정말 경험의 힘은 위대하다는 생각이 들 정도였습니다.

만약 그때 처음이고 서툴고 경험이 없다는 이유로 모든 발표를 마다했다면 어떻게 되었을까요? 아마 지금도 어떻게 하면 발표하는 자리를 피할 수 있을까 궁리하고 있을 것입니다. 누군가 이런 말을 한 적이 있어요.

"처음부터 위대하게 시작할 수는 없지만 시작하지 않으면 영원히 위대해질 수 없다."

할 수 있다고 믿고 시작해 꾸준히 노력하면 결국 할 수 있습니다. 그게 성공의 원리입니다. 소심한 성격을 하루아침에 고칠 수는 없습니다. 하지만 타고난 소심함이라고 해서 영원히 발표를 잘하지 못한다는 법도 없습니다. 잘할 수 있다고 믿고 잘하는 모습을 계속 상상하기 바랍니다. 그리고 최선을 다해 연습하세요. 시간과 경험이 쌓이면 발표는 더 이상 나를 괴롭히는 방해물이 아닌 나를 더 돋보이게 하는 장점으로 다가와 있을 것입니다.

06

# 남들과 비슷한 평가로는 성에 차지 않습니다

오늘 점심 식사 후 화장실에 갔다가 너무 불쾌한 일을 겪었습니다. 제가 화장실에 있는 걸 모르는 팀 후배 두 명이 제 흉을 보았던 거죠. 그걸 우연히 들었습니다. 자기들이 하는 일에 사사건건 참견하고 잔소리하면서, 늘 제 말만 옳다고 우겨서 재수 없다고 욕을 하더군요. 그 말을 듣는 순간 화가 치밀어 올라 그대로 밖으로 나가 한마디 하고 싶었습니다. 그런데 겨우 참았습니다. 제 딴에는 후배들 잘되라고 해준 얘기인데 전부 참견이고 잔소리라는 게 너무 어이가 없고 황당했습니다. 앞으로는 절대 아무 말도 안 하겠다고 다짐했습니다.

저는 어려서부터 부모님께 합리적이고 논리적인 사고를 해야 세상을 잘 살아갈 수 있다고 교육받으며 자랐습니다. 그리고 그렇게 살려고 노력해왔습니다. 그런 저를 '우기는 사람'이라고 하다니 정말 화가 납니다. 그런데 불쾌한 일이 겹쳐 일어났습니다. 얼마 전 저는 과장으로 진급을 했습니다. 전 제가 과장 진급에서 떨어질 거라고는 생각해본 적이 없으니 당연했습니다. 그래서인지 크게 기쁘지는 않았습니다. 오히려 기분 나빴습니다. 과장이 될 만한 사람이 아닌데 함께 과장이 된 동료가 있었거든요. 제 동기지만 그의 진급이 납득이 안 됩니다. 그는 평소에 열심히 일하지 않고, 직원들 사이에서 평판도 좋지 않아요. 열심히 일한 나와 같은 평가를 받았다고 생각하니 기분이 좋지 않았습니다. 요즘 너무 안 좋은 일만 겹치니 우울하네요. ●

## 내 비교의 대상은
## '나'밖에 없음을

후배들이 내가 한 말들을 잔소리라고 생각해 화장실에서 험담을 늘어놓는다면 누구라도 화가 날 것입니다. 그런 화가 난 순간을 잘 참은 건 잘한 일이지요. 화가 난다고 그 자리에서 후배들을 혼냈다면 속은 후련할지 몰라도 이후의 관계는 더 불편해졌을 수밖에 없기 때문입니다.

저도 뒷담화를 들은 비슷한 경우가 있었습니다. 겸손해보이고 성품도 온화해 보이는 남자 후배가 있었습니다. 가깝게 지내고 싶은 생각에 평소 나름 챙겨주었습니다. 그런데 그 후배가 저에 대해서 좋지 않은 얘기를 하고 다닌다는 얘기를 전해 들었습니다. 그 순간 기운이 쭉 빠지고 허탈한 기분이 들었습니다. 정말 피가 거꾸로 솟는 심정이었습니다. 배신감이었죠. 당장 그 후배를 찾아가 따져 묻고 싶었습니다. 왜 그랬냐고 말이죠. 하지만 참았습니다. 본인이 아니라고 한다면 저로서는 더 이상 할 말이 없을 테고, 그 뒤에는 관계가 서먹해질 게 뻔했기 때문입니다. 그런데 그 일을 겪고 난 후 이런 생각을 해보았습니다. '내 생각과 행동이 다른 사람에게는 전혀 다르게 비춰질 수도 있겠구나.' 그렇게 생각하니 처음의 배신감과 분노가 좀 사그라들더군요.

후배가 나를 험담했다는 사실은 화가 나지만 그 전에 후배들이 내가 했던 말들을 어떻게 받아들였을까를 한번 생각해볼까요? '나는 맞고 후배들의 생각은 틀리다'는 전제로 말한 것은 아니었을까요? 상대방은 나와 다르게 생각할 수 있다는 것을 인정해야 합니다. 물론 후배는 당연히 나보다 직장 경력이 짧아 업무적으로는 그들이 배울 게 많을지도 모릅니다. 하지만 그렇다고 해서 그들의 생각이 무조건 틀렸다고 단언할 수는 없습니다. '내 생각은 무조건 맞다'고 생각하는 것은 틀린 생각입니다. '내 생각도 당연히 틀릴 수 있다'고 생각하는 것이 맞는 생각입니다.

'내 생각'을 포기하기란 쉽지 않습니다. 인간의 자연스런 사고이기 때문입니다. 하지만 상대방과 나의 생각이 다를 수 있음을 인정해야 상대방 역시 내 생각을 들을 마음이 생깁니다. 나만 무조건 맞는다고 주장하면 후배들과의 불편한 관계는 점점 더 심해질 뿐입니다. 직급이 올라갈수록 동료나 후배 직원들과의 열린 소통은 좋은 관계를 위해 반드시 챙겨야 할 요소입니다.

《서른살이 심리학에게 묻다》의 김혜남 저자는 잔소리를 일종의 나르시시즘narcissism으로 봅니다. 그래서 잔소리를 '모든 사람은 내 생각에 맞춰야 한다'는 무의식의 표현이라고 얘기합니다.

'메일을 왜 이런 식으로 보내지?'
'내가 말했던 건 이게 아닌데 왜 이런 방식으로 업무를 처리했지?'
'그 상황에서 왜 그런 말을 해서 나를 곤란하게 하지?'

저 역시 이런 생각에 회사에서 잔소리를 했던 적이 있습니다. '내가 더 잘 알고 있다. 그래서 내가 맞을 것이다'라는 스스로에 대한 확신이 있었습니다. 그런데 생각해보면 이는 자신감이 아닌 근거 없는 우월감이었습니다. 자신감과 우월감은 분명 다릅니다. 우월감은 우월감을 느끼는 상대가 존재해야 하지만 자신감은 상대가 없어도 나 혼자 가질 수 있는 믿음입니다. 그때 저는 우월감을 가지고 있었습니다.

그 이후에 생각이 다른 사람을 만나면 조언을 해주고 싶은 것인지 아니면 우월감을 느끼고 싶은 것인지 먼저 판단합니다. 만약 상대에게 진정 어린 조언을 해주고 싶다면 그 사람의 생각도 들어봐야 합니다. 내가 오해하고 있는 부분이 있을 수도 있기 때문입니다. 말을 들어보고 나서 말을 해야 받아들이는 사람도 거부감이 없습니다.

상대를 인정할 수 없는 마음 역시 마찬가지입니다. 내 마음속에 내가 남보다 당연히 월등하다는 우월감이 기본적으로 깔려 있으면 상대방을 인정하기 어렵습니다. 내가 진급하는 건 당연한데, '내가 보기에' 그다지 능력이 없어 보이는 동료가 어떻게 나와 똑같은 조건으로 진급할 수 있지? 이렇게 생각하게 되지요.

진급을 하기 위해 주어진 업무에 최선을 다하고, 더 열심히 하는 모습을 보여주기 위해 하지 않아도 될 일까지 찾아서 합니다. 거기에 평판이 나빠져 진급에 영향을 미칠까 봐 인맥관리에도 힘씁니다. 그리고 진급에 성공합니다. 너무 기쁜 순간은 잠시, 그다지 실력이 뛰어나 보이지 않던 동료가 함께 진급을 했다는 사실을 알게 됩니다. 뭔가 불편하고 공정하지 못하다는 생각에 마음까지 우울해집니다. 진급은 했지만 출근하는 하루 하루가 그다지 즐겁게 느껴지지 않습니다.

'어떻게 하면 이 일을 떠올리지 않을 수 있을까. 어떻게 하면 내 마음이 좀 더 편안해질 수 있을까?' 이런 고민을 멈추고 생각을 다음과 같이 바꿔 보세요.

'내가 모르는 그 사람의 실력과 노력이 있겠지.'

이렇게 생각하면 마음이 한결 편안해집니다. 그 사람의 능력을 인정해주는 것입니다. '그럴 만한 이유가 있을 거야' 하고 생각하면 할수록 마음은 더 편안해집니다. 그렇게 시간이 가면 불편한 감정도 점점 희석되고 처음에는 몹시 신경 쓰이던 동료의 진급에 대해서 나중에는 별 생각을 하지 않게 되지요.

'내가 한 일'에 대해 가장 잘 아는 사람은 결국 '나'입니다. 그러니 그 사람이 한 일은 그 사람이 가장 잘 압니다. 내가 보기에 그가 쉽게 진급을 한 것 같지만 그가 얼마나 많은 고민과 시행착오를 겪었는지 나는 모릅니다. 또 얼마나 많은 고생을 하고 애를 썼는지도 정확히 모릅니다. 내가 고생한 만큼 아니 그보다 더 힘들었을 수도 있습니다. 그러니 신경 쓰지 말고, 그냥 그 자체를 인정하면 됩니다. 그럼 내 마음이 편해집니다.

누구보다 더 잘난 사람이 되기 위한 노력보다는 어제의 자신보다 더 잘난 자신이 되기 위한 노력을 하세요. 누군가와 비교할 필요는 없습니다. 미국의 소설가 어니스트 헤밍웨이Ernest Hemingway는 이런 말을 했습니다.

"지금 현재 타인보다 우수하다고 고귀한 것은 아니다. 진정 고귀한 것은 과거 자신보다 우수한 것이다."

남과 비교하지 말고, 과거의 나 자신과 비교하세요. 매일 나아질 수는 없지만 조금씩 나아지는 사람이야말로 진정으로 나아지고 있는 사람입니다. 다른 사람의 생각과 능력을 더욱 관대하고 따뜻하게 인정해주길 바랍니다. 바로 자신을 위해서 말이죠.

## 07

# 일 못 하는 부하 직원을 참기 힘듭니다

저는 온라인 콘텐츠를 제작하는 회사에 다니고 있습니다. 전체 직원이 30명 정도인 회사로, 저는 기획팀장입니다. 제 밑으로 다섯 명의 팀원이 있는데, 팀원들이 일을 너무 못 합니다. 정확히는 제 성에 차지 않는 것이지요. 그러다 보니 팀장인 저만 너무 힘들고 괴롭습니다. 한 명은 그나마 말귀라도 알아듣지만 나머지 네 명은 A를 해오라고 하면 B나 C로 해옵니다. 갓 들어온 신입사원도 아닌데 말입니다. 실수가 한두 번도 아니고, 너무 자주 그래서 미치겠습니다. 어제도 일이 있었습니다. 팀원 한 명에게 이번 분기 콘텐츠 전략 기획안을 만들어오라고 했는데, 기획안이 너무나 평범한 수준이어서 조금이나마 기대했던 제 자신에게 화가 날 지경이었습니다. 그 직원을 불러 호되게 야단을 쳤는데도 화가 풀리지 않았습니다. 그런데 더 화가 난 건 그렇게 야단을 맞고 나서 동료와 밖으로 나가 담배를 피우고 있더군요. 정말 어이가 없었습니다. 저라면 그 시간에 자료를 모아 보고서를 다시 쓸 텐데 말이죠. 인사팀에 얘기해서 그 친구를 다른 팀으로 옮겨 달라고 요청하고 싶습니다. 어떻게 하는 것이 좋을까요? 이러다 화병이 도질 것 같습니다. ●

## 참기 힘든 감정은 결국 참을 수 있는 감정

같이 일하는 팀원들이 말귀를 잘 알아듣지 못해 일을 제대로 해내지 않으면 팀장으로서 화가 나는 건 당연한 일입니다. 더구나 신입사원도 아닌 기존 팀원들이라면 화가 폭발할 수 있지요. 게다가 야단을 맞은 뒤에도 바꾸려고 노력하는 모습이 보이지 않는다니, 더 화가 날 수밖에 없겠네요. 그런데 이런 분노의 감정에도 목적이 있다는 걸 알고 있나요?

아들러는 모든 감정에는 목적이 있다고 말합니다. 분노 역시 마찬가지입니다. 그에 의하면 분노를 표현하는 목적에는 통제 욕구 충족, 승리의 열정 고취, 상대에 대한 복수 그리고 자신의 권리 보호 등이 있다고 합니다. 이러한 아들러의 생각을 지금 상황에 접목해보면, 분노의 목적에 두 가지가 있는 것으로 보입니다.

우선은 말귀를 제대로 알아듣지 못하는 팀원을 통제하려는 목적입니다. 분노를 시각적으로 보여줌으로써 다음번에는 기대에 부응하는 수준의 콘텐츠 전략 기획안을 짜오도록 압력을 넣는 것이지요.

두 번째 목적은 바로 상대에 대한 복수입니다. 그렇게까지 면박을 줬음에도 불구하고 동료와 어울려 나가 담배를 피우는 모습을 본 순간 팀원의 전출 욕구를 느낀 것은 자신의 분노를 무시한 상대방에게 복수하고 싶은 마음이 드는 것입니다.

그런데 분노로 이 두 가지 목적을 달성할 수 있을까요?

통제의 목적부터 한번 보지요. 분노를 표현한다고 해서 그 팀원이 다음번에 만족할 만한 기획안을 짜올 수 있을까요? 화를 낸다고 해서 상황을 통제할 수는 없습니다. 왜냐하면 그 순간 팀원은 본인이 잘못했다는 반성보다는 수치심과 모욕감을 더 느낄 것이기 때문입니다. 팀원 역시 나름 열심히 준비한 보고서인데 대놓고 면박을 받았다는 생각을 할 수도 있습니다. 부하 직원 역시 사람입니다. 단둘이 있는 상황이었다면 모르지만 다른 팀원들도 함께 있었다면 그 수치심은 더 증폭되었을 것입니다.

바로 업무를 시작하지 않고 동료와 어울려 담배를 피우는 모습에 분노를 느꼈다고 했죠? 하지만 단 한 번의 질책으로 업무에 집중할 수 있는 직장인이 과연 몇이나 될까요? 직장 상사의 질책은 모든 직장인에게 나름 큰 마음의 상처가 될 수 있습니다.

종이에 손가락을 살짝만 베여도 피가 멈추고 딱지가 앉아 새살이 올라올 때까지 시간이 필요합니다. 하물며 마음에 생긴 상처가 어떻게 바로 아물 수 있겠어요? 수치심으로 인해 마음의 상처가 생겼다면 상처가 아물 수 있는 시간이 필요합니다. 그러니 조금 기다려주는 여유가 필요합니다. 분노를 그대로 표현함으로써 순간적으로 통쾌함을 느낄 수는 있어도 남는 것은 없습니다. 두 가지 목적 가운데 그 어떤 것도 달성하기 어려울 수 있습니다.

결국 있는 그대로의 분노 표출은 좋은 방법이 아닙니다. 날것의 분노는 또 다른 분노를 낳기 때문입니다. 진정으로 내가 원하는 바를 달성하려면 감정을 조절해 분노를 다른 감정으로 바꾸어 표출해야 합니다.

말귀를 제대로 알아듣지 못하는 답답한 팀원을 볼 때, 바로 업무를 시작하지 않고 밖에 나가 담배를 피우는 팀원을 볼 때,

치밀어 오르는 분노를 있는 그대로의 감정으로 받아들이기 바랍니다. 분노를 느끼고 있음을 인정해야 분노를 다룰 수 있습니다.

분노를 인정했다면 다음으로 분노의 목적이 무엇인지 냉정하게 생각해야 합니다. '난 지금 화가 많이 났어. 그런데 내가 화를 내는 목적이 무엇이지? 그리고 화를 내면서까지 내가 얻으려는 게 뭘까?' 이렇게 화가 나는 그 순간에도 자신과의 대화를 시도해야 합니다. 이런 과정을 거치면 화를 좀 가라앉히면서 평정심을 가질 수 있습니다.

이제 어떠한 마음을 먹을지 결정합니다.

'조용한 회의실로 데리고 들어가 타일러 볼까?'

'팀원 입장에서는 나의 업무 방향 지시가 막연해 보였던 것은 아닐까?'

'다른 팀이 했던 좋은 기획안 몇 개를 샘플로 보여줄까?'

'더 나은 기획안을 만들기 위해 팀장에게 바라는 게 있는지 물어볼까?'

제시할 수 있는 선택지 몇 개를 생각해 그중 하나의 해결방안을 선택합니다. 목적을 달성하기 위해 분노 표현보다 더 효과적인 선택지 하나를 골랐다면 이제 실행만이 남았습니다.

예를 들어 최근 잘 만들었다고 평가된 다른 팀의 기획안을 하나 구합니다. 팀 상황에 맞게끔 몇 가지 내용을 수정, 보완해 팀 내에서 공유합니다. 그러면 팀원들은 팀장이 원하는 바를 명확히 이해함과 동시에 향후 자신들의 생각을 어떻게 바꿔 나가야 할지를 알 수 있습니다.

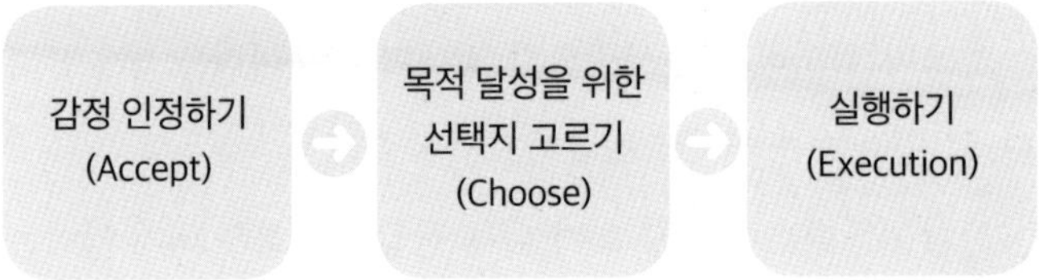

| 감정 인정하기 (Accept) | → | 목적 달성을 위한 선택지 고르기 (Choose) | → | 실행하기 (Execution) |
|---|---|---|---|---|

아들러 학파 심리학자들은 이 단계의 앞글자를 따서 'ACE 3단계'라고 합니다. 어떤 감정이 일어날 때 그 감정의 목적을 가장 효과적으로 달성할 수 있도록 하는 마음 컨트롤 방법이지요. 사람들은 흔히 화가 치밀어 오르는 상황이면 당연히 화를 참을 수 없는 것 아니냐고 말합니다. 아닙니다. 화는 얼마든지 통제 가능합니다.

격렬하게 부부싸움을 하는 상황을 가정해볼까요? 추석 당일 친정을 먼저 갈지, 시댁을 먼저 갈지 남편과 아내가 옥신각신하고 있습니다. 처음에는 가볍게 시작한 대화인데 급기야는 고함을 내지르며 싸우고 있습니다. 그런데 갑자기 초인종이 울립니다. 화가 난 상태로 씩씩대며 문을 열어보니 새로 이사 온 이웃집 아주머니입니다. 이런 상황에서 화난 감정을 이웃집 아주머니에게까지 보여주고 싶은 사람은 아마 많지 않을 것입니다. '이사 떡'을 주러 온 이웃에게 순간 미소를 짓습니다.

"감사합니다. 잘 먹을게요."

웃으며 깍듯하게 인사말까지 건네며 아주머니를 배웅합니다. 그 순간 화는 어디로 갔을까요?

사람들은 흔히 극도로 화가 나는 상황에서 화를 내지 않기는 불가능하다고 생각하지만 화의 감정은 순간적으로 변할 수 있습니다. 더구나 의지까지 더해지면 얼마든지 조절 가능합니다. 분노에 휘둘리지 않고 감정의 진정한 주인이 되기를 바랍니다.

08

# 경쟁에서는 앞서 나가지만 외롭습니다

직장생활 5년 차로 남들이 흔히 말하는 '커리어 우먼'입니다. 저는 '이 세상은 약육강식 세계다'는 말을 굳게 믿고 있습니다. 제가 여자이기 때문인지는 몰라도 우리 사회에서 많은 특권을 누리는 남자들보다 상대적으로 손해를 많이 본다고 생각합니다. 그래서 능력을 키우려고 하루도 쉬지 않는 마음으로 달려왔습니다. 그 결과 입사 동기 중에서 업무 능력이 가장 우수하다는 평가를 받는다고 자부합니다. 이런 제 자신이 무척 자랑스럽고 앞으로도 이렇게 살 생각입니다. 그런데 저도 사람인지라 가끔은 외롭다고 느낄 때가 있습니다. 매일 모든 일을 경쟁적으로 살다 보니 어느 순간 주변에 사람이 별로 남아 있지 않은 것 같거든요. 직장에서도 인간적으로는 제게 다가오는 사람이 없습니다. 살갑게 말 걸어주는 사람도 거의 없다 보니 서글프기도 합니다. 여직원들끼리 커피를 마시거나 퇴근 후에 가볍게 맥주 한 잔하는 모습을 보면 '나도 같이 하고 싶다'는 생각이 들기도 하고요. 얼마 전 몸이 좋지 않아 연차를 냈는데, 누구도 문자 한 통 보내지 않더라고요. 죽을 사와 오피스텔에서 혼자 먹다 보니 좀 서러웠습니다. 뭔가 잘못되어 가고 있는 것 같다는 생각도 듭니다. 어떻게 하면 좋을까요? ●

## 같이 손잡고
## 춤추러 온 사람도 있음을

입사 동기 중에서 가장 우수하다는 평가를 받는 일은 쉬운 일이 아닙니다. 그야말로 자신의 일에 최선을 다하는 멋진 분이란 생각이 듭니다. 현대사회가 예전보다는 남녀 성차별이 많이 없어졌지만 아직은 사회에서 일하는 여성에게 보이지 않는 유리천장이 남아 있는 것 같아 때론 씁쓸해지기도 합니다.

문제는 그런 삶을 살아 내느라 스스로 너무 경쟁적이 되었다는 점입니다. 물론 경쟁에서 이기면 승리감도 있고 성취감도 있습니다. 그런데 그런 기쁨을 맛보다 보면 다음번에도 같은 기쁨을 맛보기 위해 더 노력하고 경쟁적이 될 수 있죠. 하지만 누군가를 이겨서 얻는 기쁨도 있지만 발전하는 나를 발견하는 데서 오는 기쁨도 있습니다.

성취감은 반드시 남과의 경쟁에서 승리해야 얻는 것은 아닙니다. 사람들을 경쟁의 대상으로만 바라봐서는 안 됩니다. 경쟁 대상으로만 본다면 그들 역시 나를 경쟁 상대로밖에 인식하지 않기 때문입니다. 경쟁에서 이기면 승리감을 느낄 수 있을지는 모르지만 외로움 역시 내 몫입니다. 사람들이 모두 내 경쟁 상대가 될 수도 있지만 조력자가 될 수도 있습니다. 꽃이 될 수 있고 바다도 될 수 있으며, 추운 겨울 가장 따뜻한 난로가 되어줄 수도 있습니다. 사람은 단순히 사람 이상이기 때문입니다.

아들러가 말한 인생의 세 가지 과제 가운데 일의 과제는 잘 해내고 있으니, 이제는 사랑과 친구의 가치에 대해서 좀 더 신경을 쓰면 좋겠습니다. 일에만 치우친 열정으로 주위 사람들과 인간적으로 좋은 관계를 잘 형성하지 못하면 외로운 감정을 느낄 수밖에 없습니다. 오래 시간을 함께 보내는 직장 동료들과 서로 주고받으며 느끼는 온정은 매우 중요합니다.

저도 직장생활을 하면서 기분 좋았던 순간이 있습니다. 그렇다고 뭔가 특별한 것은 아닙니다. 그저 동료들에게 작은 배려를 받았다는 생각이 든 날, 후배 직원의 고민을 상담해주고 그 후배 직원이 나로 인해 힘을 내는 것을 본 날, 상사와 실없지만 마음 맞는 농담을 주고받은 날, 불안한 직장인의 미래에 대해 솔직한 속마음을 터놓으며 서로의 꿈 이야기를 한 날, 그런 날 퇴근할 때면 발걸음이 가볍고 기분이 참 좋았습니다.

특별한 것은 없었지만 '아, 오늘 참 잘 지냈다'라는 생각이 들었습니다. 그럴 때는 높은 연봉도, 큰 회사에 다니는 것도 중요하지 않습니다. 그저 이 사람들과 오래 함께하면 좋겠다는 생각뿐이었습니다. 정말 소소하지만 확실한 행복이었습니다.

많은 사람이 회사를 다니는 가장 중요한 이유 중 하나가 바로 사람들과의 관계 때문입니다. 물론 그 관계 속에는 피하고 싶은 사람도 있습니다. 경쟁에서 이겨야 하는 비슷한 연차의 선후배, 업무 방식이 맞지 않아 항상 절로 피하게 되는 동료, 리더십이라고는 찾으려야 찾아볼 수 없는 상사…. 이러한 사람들은 아침 출근길을 더욱 힘들게 합니다. 하지만 힘든 모습을 보이면 먼저 다가와 주는 선배, 무슨 말을 해도 마음이 너무 잘 맞는 후배, 언제나 반갑게 인사해주는 동료가 있다면 좀 박한 연봉, 좀 힘든 일이 있더라도 거뜬히 이겨낼 기운을 얻습니다.

직장에서는 다양한 형태의 만남과 다양한 성향의 사람을 경험하게 됩니다. 직장은 어찌 보면 사람들의 축제장소입니다. 축제에는 정말 각지에서 다양한 사람들이 몰려오지요. 축제에서 만난 사람들과는 재미있게 어울려야 합니다. 축제에서 만난 사람들을 시기하고 질투하며 무조건 이기려고만 하면 제대로 즐길 수 없겠죠.

축제에서 만난 사람 모두를 이길 필요는 없습니다. 물론 나를 이기려고 온 사람도 있지만 손을 맞잡고 함께 춤을 추기 위해 온 사람도 있을 테니 말이죠. 그러니 모든 사람을 경쟁의 상대로 보지 말고 손을 잡고 가끔은 춤도 추고 노래도 부르며 흠뻑 취해보기도 하는, 축제 같은 직장생활을 해보는 게 어떨까요?

09

# 완벽을 바라는 게 잘못인가요?

"완벽해야 한다. 최고가 되어야 한다. 한 번은 실수지만, 두 번째는 실수가 아니라 무능력이다."
전 어려서부터 부모님께 이런 말을 듣고 자란 탓인지 웬만한 일에 항상 완벽을 추구합니다. 제가 처리한 업무에서 실수가 발견되면 스스로 크게 실망합니다. 원하는 것이 생기면 반드시 손에 넣어야 하고, 한번 시작한 일은 반드시 성공시켜야 속이 풀립니다. 그러다 보니 회사에서도 업무 성공률이 90%가 넘습니다. 이런 저를 팀장님도 무척 좋아합니다. 제가 세 사람 몫의 일을 하니까요. 저도 이런 제가 자랑스럽습니다.
그런데 얼마 전 여자 친구가 저를 떠났습니다. 떠나는 이유가 완벽을 추구하는 제 모습 때문이라고 하네요. 항상 이기려고만 하는 제 모습이 싫다는 것입니다. 그런 제 모습을 옆에서 보는 것만으로도 부담스럽고 버겁다고요. 여자 친구는 제가 저 자신에게는 물론이고 친구나 주위 사람들에게도 같은 잣대를 갖다 댄다고 했습니다. 물론 저는 그런 기억이 없습니다. 저는 여자 친구를 너무 사랑합니다. 그녀는 좋은 집안, 예쁜 외모, 명석한 두뇌까지 어느 것 하나 빠지지 않는 완벽한 여자입니다. 이런 여자를 어떻게 사랑하지 않을 수 있나요? 여자 친구의 마음을 돌리고 싶은데, 어떻게 해야 할지 모르겠습니다. ●

## 진정한 완벽함은 내 자신이 완벽하지 않음을 인정하는 것

사랑하는 사람과의 이별은 누구에게나 상처입니다. 더구나 아직 사랑하는 마음이 남아 있다면 더욱 힘들죠. 싫다고 단호하게 떠난 여자 친구를 아직 많이 사랑하고 그리워하는 이유가 무엇일까요? 너무 사랑하기 때문일까요? 어쩌면 그녀가 사랑할 만한 이유가 있어서 그런 것은 아닐까요? 그녀의 좋은 집안, 뛰어난 외모, 명석한 두뇌 때문에 그녀를 사랑하는 것은 아닐까요?

만약 여자 친구가 이런 완벽한 조건들이 없었다 해도 지금처럼 그녀를 사랑했을까요? 사랑에는 정답이 없습니다. 한 사람이 한 사람을 사랑하는 데 그 무슨 특별한 이유가 필요하겠어요. 어쩌면 사랑에 빠진 이유를 찾는 자체가 어리석은 일인지도 모릅니다.

하지만 조건이 필요한 사람도 있습니다. 어린 시절부터 모든 것을 완벽하게 갖춰서 최고야 되어야 한다고 여겼다면, 그래서 실제로 성공률이 90%에 이를 정도로 많은 것을 이루어내며 살았다면 은연중에 상대 역시 나처럼 완벽한 조건을 갖춰야 한다고 생각했을 수 있습니다. 그렇다면 왜 이렇게 사랑의 조건에 집중하게 되었을까요?

사람은 누구나 자신에게 어울리는 사람을 찾기 마련입니다.

'내가 이 정도 학교를 나왔으니 상대방도 이 정도 이상 학교를 나온 사람이면 좋겠다.'

'상대방이 우리 집안 재력 정도는 되었으면 좋겠다.'

'내 외모가 빠지지 않으니 상대방도 빠지지 않는 외모는 가지고 있으면 좋겠다.'

이런 바람들은 사실 자연스러운 것입니다. 내가 가진 만큼 상대방도 가졌으면 좋겠다고 생각하는 것이니까요. 다만 그런 생각이 무조건 옳다고 여겨서는 곤란합니다. 아무리 객관적이고 외적인 요인이 중요하다지만 한 사람의 마음을 움직이고 심장을 뛰게 하는 건 결국 내 안에 있는 마음이기 때문이지요. 만약 모든 사람이 외적인 조건만 바라보며 사랑하고 결혼했다면 신분을 뛰어넘는 해리 왕자와 메건 마클 같은 세기적 사랑은 탄생할 수 없었을 것입니다.

사랑에는 정답이 없습니다. 적어도 진정한 사랑이라면 무엇 때문에 사랑한다고 꼭 짚어서 말하기 어렵지는 않을까요? 그 사람 존재 자체를 사랑하는 것이 진정한 사랑이라고 생각하기 때문이지요.

여자 친구가 떠난 정확한 이유는 저도 모릅니다. 하지만 살면서 추구해온 완벽 성향이 자신도 모르게 상대에게 부담으로 작용했을 수는 있습니다. 항상 완벽한 모습만을 보여주려는 모습이 그녀에게는 인간적이지 않게 느껴졌을 수도 있겠지요. 일을 완벽히 하려는 습관을 사랑에도 적용한다면 문제가 될 수밖에 없습니다. 제 시간에 사랑을 나누고 계획대로 사랑하며, 실수 없이 사랑할 수는 없습니다. 때론 어긋나고, 때론 갑작스럽고, 때론 실수도 하는 사랑이 진짜 사랑 아닐까요?

심리학에는 '실수효과Pratfall'라는 이론이 있습니다. 평소 능력 있어 보이는 사람이 작은 실수를 저질렀을 때 오히려 그 사람에 대한 호감과 매력이 상승하는 현상을 말합니다. 사회 심리학자 엘리엇 아론슨Elliot Aronson은 이를 간단한 실험을 통해 증명했습니다.

실험 참가자들에게 네 명의 연설 동영상을 보여줍니다. 이 중 두 명은 능력 있는 연설을 합니다. 자신감 있는 태도로 논리적이며 중간에 유머를 섞는 것도 잊지 않지요. 목소리는 청중에게 신뢰감을 주는 중저음입니다. 반면 나머지 두 명은 평범한 연설을 연기합니다. 누가 들어도 그냥 주어진 원고를 읽어 내려가는 정도로밖에 들리지 않습니다. 중간에 말도 더듬고 내용도 두서없이 왔다 갔다 합니다. 그리고 이 두 그룹 중 각각 한 명은 연설 중 커피를 쏟는 행동을 추가합니다. 그럼 총 네 가지 형태의 사례가 발생하는 것이죠. 동영상을 본 실험 참가자들에게 묻습니다. '이 중 누구에게 가장 끌리나요?'

누가 가장 매력적인 연설자로 뽑혔다고 생각하나요? 언뜻 보면 실수 없이 능력 있는 연설을 한 사람이라고 생각할 수 있습니다. 하지만 가장 많은 호감을 받은 연설자는 '커피를 쏟은' 능력 있는 연설자였습니다. 즉 너무 완벽한 것보다는 완벽해 보이지만 실수하는 사람이 더 매력적이었다는 말이지요.

너무 완벽함을 추구하다 보면 진짜 내가 가진 매력은 반감될 수 있습니다. 가끔은 실수해도 괜찮습니다. 오히려 실수하는 모습에서 더 인간적인 친밀감을 느낄 수 있기 때문입니다. 저명한 스포츠 심리학자인 스탠 비첨Stan Beecham은 저서《엘리트 마인드Elite Minds》에서 완벽함에 대해 다음과 같이 이야기합니다.

> 스포츠 분야에서 독보적인 위치를 차지하고 있는 선수들에게 질문을 던졌습니다. '당신은 최고의 선수인데 경기가 잘 안 풀리는 날이 얼마나 되나요?' 그리고 비첨 박사는 뜻밖의 대답을 듣습니다. '한 달이 30일이라면 그중 3~6일은 경기가 안 풀리는 날이죠.' 최고의 선수들은 모든 것이 완벽한 날은 드물다는 것을 알고 있었던 것입니다. 들쑥날쑥한 성과를 있는 그대로 받아들입니다. 그리고 그것이 최고의 기량을 발휘하는 원동력이라 믿습니다.

진정한 완벽함은 완벽하지 않을 수도 있음을 인정하는 것에서 시작한다는 비첨 박사의 말처럼, 일을 대하는 자세도 마찬가지입니다. 누구나 계획대로 일이 되지 않을 때가 있고 실수할 때가 있습니다. 계획대로 되지 않고 실수하는 것을 두려워한다면 아무런 시도도 못합니다. 시도하지 않는다면 실수도 없겠지만 발전도 없습니다. 물론 일부러 실수할 필요는 없지만 실수를 두려워할 필요도 없습니다.

일을 할 때는 최선을 다하는 것이 중요합니다. 최선을 다했음에도 실수가 발생한다면 그건 어쩔 수 없는 것입니다. 어쩌겠어요. 정말 최선을 다한 일인 걸요. 툭툭 털어버리고 다음번에 잘하면 됩니다. 그러니 모든 것에 완벽해지려는 습관을 바꿔야 편안해집니다. 완벽함 자체를 추구하기보다는 최선을 다하는 것을 추구해야 합니다.

완벽함에 가려 있던 나만의 향기를 보여주세요. 그 향은 완벽함에 구멍을 좀 내야 흘러나올 수 있습니다. 나만의 향기는 다른 사람을 매료시키는 장점이 될 것입니다. 완벽해 보이는 수만 송이의 조화보다 진짜 향기를 뿜어내는 단 한 송이의 생화가 더 매력적일 수 있다는 사실을 잊지 마세요.

## 10

# 싱글맘으로 일하기가 너무 힘듭니다

4살과 8살 아이들을 둔 싱글맘입니다. 얼마 전 회사에서 새로운 프로젝트가 있었습니다. 새로운 사업 공고 입찰을 준비하는 프로젝트로 해당 분야와의 적합성이나 근무 경험 그리고 직급 등을 고려했을 때 제가 적격이라고 생각했습니다. 주위 동료들도 모두 당연히 그렇게 생각하고 있었고요. 그런데 예상은 보기 좋게 빗나갔습니다. 저보다 근속 년수 3년 아래의 같은 팀 남자 직원이 투입이 된 것입니다. 그 직원은 저보다 실무 경험도 부족하고 연차도 적었습니다. 저보다 나은 점이 있다면 야근을 언제나 할 수 있다는 점입니다. 그도 결혼했지만 아내가 적극적으로 내조를 해주고 있으니까요. 하지만 저는 시간제 육아 도우미 말고는 도와줄 사람이 없어 시간이 여유롭지 못한 건 맞습니다. 그렇다고 업무를 소홀히 하거나 남보다 뒤처지는 일은 없었습니다.

속이 상해 있던 터에, 팀장님이 저를 불렀습니다.

"차 과장, 그 일을 할 만한 시간이 돼? 혼자 애 키우는 거 쉽지 않잖아. 난 오히려 차 과장을 생각해서 다른 사람을 투입한 건데 말이야."

이 말을 듣고 너무나도 황당하고 억울했습니다. 눈물을 왈칵 쏟을 뻔했습니다. 싱글맘이 죄라도 되나요? 여러 중요한 일에서 은근히 계속해서 배제가 되고 있다는 생각에 기분이 좋지 않습니다. 점점 제 입지가 약해지고 있다는 생각도 들고요. 엄마 역할과 회사일, 두 가지 모두를 동시에 잘 해내야 한다는 건 무척 힘이 듭니다. 어떻게 하면 좋을까요? ●

## 중요한 것은 절대적 양이 아닌 상대적 활용성

엄마로서의 삶과 직장인으로서의 삶을 동시에 살아가는 건 정말 힘든 일입니다. 슈퍼우먼이 따로 없지요. 슈퍼우먼은 그래도 애는 키우지 않았습니다. 워킹맘들은 하루에 두 번 출근합니다. 아침에 회사로 한 번, 저녁에 집으로 한 번 이렇게요. 워킹맘들은 집으로 들어서는 순간 아이 저녁 식사부터 숙제 검사, 빨래,

청소, 설거지 등 매일 해야 할 일들이 끝도 없이 기다리고 있습니다. 더구나 싱글맘이라면 혼자 이 모든 걸 다 해야 하니 더 힘에 부칠 수밖에 없습니다.

두 가지를 동시에 잘하려면 힘들 수밖에 없습니다. 누군가 테니스공 2개를 한꺼번에 던지며 받아보라고 하면 대부분 쉽게 받지 못합니다. 공 2개에 동시에 집중하기 어렵기 때문이지요. 마찬가지로 직장일과 집안일에 동시에 집중하기란 쉽지 않습니다.

직장 상사가 워킹 싱글맘은 회사 일에 많은 노력과 시간을 할애할 수 없을 거라는 선입견을 갖고 있다면 억울할 것입니다. 하지만 일만 할때 보다 가사를 돌보며 일할 때 더 많은 시간을 투여하기 어려운 것은 사실입니다. 물리적인 시간 측면에서 본다면 말이죠.

하지만 무조건 더 많은 시간을 업무에 투입한다고 해서 더 좋은 성과를 낼 수 있을까요? 유리할 수는 있지만 그렇다고 결과를 보장해주는 것은 아닙니다.

싱글맘이 더 많은 시간을 업무에 할애하지 못해 업무의 완성도가 다른 사람들보다 떨어질 것이라는 편견은 잘못된 것입니다. 싱글맘은 누구보다 주어진 역할 이상의 역할을 해내는 사람입니다. 그러니 오히려 칭찬받아 마땅합니다.

주변 사람들의 잘못된 인식 때문에 죄책감을 가질 필요는 없습니다. 더욱이 자신의 현재 상황을 탓하거나 괴로워하지도 말기를 바랍니다. 나의 선택과 결정은 그 자체로 존중받을 가치가 있습니다. 그렇다고 그들의 잘못된 인식을 바꿀 필요도 없습니다. 바꾸는 게 내 마음처럼 쉬운 일도 아니고요. 그저 묵묵히 최선을 다해 내 일을 하면 됩니다.

주어진 시간과 환경을 인정하는 마음도 중요합니다. 일에 더 많은 시간을 할애할 수 있는 사람과 똑같이 일하기는 현실적으로 어렵다는 사실을 인정해야 합니다. 현실을 부정하다 보면 내 마음만 더 괴로워지고 비현실적인 해결책에 더 집착합니다. 인정할 것은 인정하되 할 수 있는 것에 최선을 다해 집중해야 합니다.

조앤 롤링Joanne Rowling은 전 세계인에게 사랑받은 《해리포터Harry Potter》의 작가입니다. 그녀 역시 싱글맘이었습니다. 남편과 이혼한 후 어린 딸을 홀로 키우던 그녀는 뚜렷한 수입원이 없어 경제적으로 매우 힘든 상황이었습니다. 정부의 보조금으로 근근이 하루하루를 살아가는 처지였죠. 돌도 지나지 않은 아이 우유에 물을 타서 먹여야 했을 정도였습니다. 하지만 그녀는 자기가 처한 상황을 부정하지 않았습니다. '부정'하기보다는 그 상황을 받아들였습니다. 그리고 할 수 있는 것에 집중했습니다. 그녀에게는 작가가 되겠다는 꿈이 있었습니다. 집 근처 카페에서 어린 딸을 재우고, 온 신경을 집중해서 글을 썼습니다. 언제 깰지 모르는 어린 딸을 옆에 두고 글을 쓰는 마음이 얼마나 초조하고 불안했을까요? 그녀는 제한된 시간에도 모든 신경과 노력을 집중하여 글을 썼고, 결국은 전 세계인의 사랑을 받는 작가가 되었습니다.

시간이 많다고 꼭 잘하는 것은 아닙니다. 집중할 수 있는 시간에 최대한 업무에 집중하려는 노력이 필요합니다. 단순히 시간을 오래 쓰는 것보다는 주어진 시간에 최대한 집중하는 것이 중요합니다. 더욱이 요즘은 스마트 워크Smart work 시대입니다. 오래 근무하는 모습으로 인정받는 시대는 지났습니다. 주어진 상황을 어떻게 받아들이고, 어떻게 활용하느냐가 더 중요합니다. 누구에게나 자신의 일을 하기에 절대적으로 많은 시간은 없습니다. 단지 나의 시각과 마음에 따라 주어진 상대적 시간만이 존재합니다. 집중하는 사람은 10분도 1시간처럼 쓸 수 있고, 그렇지 않은 사람은 1시간도 10분밖에 쓸 수 없습니다.

영국의 작가 셰익스피어는 상황을 바라보는 태도에 대해 다음과 같은 말을 남겼습니다.

'세상에는 딱히 좋거나 나쁜 것이 없다. 우리 생각이 그렇게 만들 뿐이다.'

업무에 할애할 수 있는 시간이 더 많아 보이는 다른 사람을 바라보며 비교할 필요는 없습니다. 그런 사람보다 불리한 조건에 있는 내 환경을 탓할 필요도 없습니다. 대신 내가 있는 상황을 어떻게 바라보고 어떻게 최대한 활용할지가 중요합니다. 방법은 분명히 있습니다. 주어진 환경에서 온 신경을 집중할 목표를 세우기 바랍니다. 그리고 그 목표에 모든 노력을 쏟아 붓는 최선의 노력을 다하길 바랍니다. 그럼 결국 해낼 수 있습니다, 틀림없이.

# 2장

# 내 안의 감정 찌꺼기 덜어내기

"인간관계는 난로처럼 대해야 합니다.
너무 가깝지도 너무 멀지도 않게."

혜민 스님

우리는 매일 누군가와 관계를 맺고 살아갑니다. 다양한 관계를 맺을 때마다 적절한 거리를 찾아서 유지해야 합니다. 혜민 스님의 말처럼 너무 가깝지도 않고 너무 멀지도 않게 말이죠.

살면서 아주 가까운 거리에 있는 사람으로부터 상처를 받기도 합니다. 믿는 동료에게 털어놓았던 개인적인 얘기를 어느 날 회사 사람들 대부분이 알게 되었을 때, 가깝게 여겼던 직장 동료가 뒤에서 내 험담을 하고 다닌다는 얘기를 들었을 때, 동료가 내게 와서 다른 사람 흉을 볼 때…. 이는 모두 가까운 거리에 있는 사람에게 입는 상처들입니다.

반면 멀리 떨어진 사람에게 상처받기도 합니다. 잘 모르는 사람이 나에 대해 이러쿵저러쿵 얘기하고 다닐 때, 팀장님과 나와의 좋은 관계를 다른 팀원들이 시기할 때, 친해지고 싶은 동료가 좀처럼 나에게 마음의 문을 열지 않을 때…. 어쩌면 조금만 더 가까웠더라면 느끼지 않았을 상처일지도 모릅니다.

사람과의 적당한 거리는 어떻게 찾을 수 있을까요? 내가 생각하는 거리와 그가 생각하는 거리는 같은 거리일까요? 만약 다르다면 어떻게 맞출 수 있을까요?

아들러는 세 가지 인생과제(일, 친구, 사랑)를 잘 수행해내야 진정한 행복감을 느낄 수 있다고 했습니다. 이 세 가지를 가만히 들여다보면 하나의 공통점을 찾을 수 있습니다. 바로 '인간관계'입니다. 세 가지는 모두 인간관계를 바탕에 두고 있습니다. 인간관계라는 숙제를 잘 해내야 행복할 수 있다는 의미입니다. 그만큼 인간관계를 제대로 해내는 건 중요하고 힘듭니다.

매일 반복되는 하루 속에는 익숙한 관계도 있지만 새로운 관계도 만들어집니다. 새로운 관계가 우리에게 얘기치 못한 기쁨을 가져다주기도 하고, 익숙한 관계가 감당하기 힘든 상처를 주기도 합니다. 물론 그 반대의 경우도 있습니다. 새로움이 제공하는 예기치 못한 불안감이 어느 순간 갑자기 나타나기도 합니다. 아침 숲속 길을 걷다 보면 갑자기 얼굴에 와닿는 거미줄처럼 말이지요.

직장인의 일상은 어떨까요? 아침에 눈을 떠 출근길에 나서면 관계는 이미 시작됩니다. 간밤에 업데이트된 SNS에 있는 '관계 속 타인들'의 근황을 체크하기도 하고, 그들의 공간에 흔적을 남기기도 합니다. 사무실에 들어서면서부터는 본격적인 인간관계가 시작됩니다. 관계의 일상 속에서 우린 때로 힘이 되는 감정들을 느낍니다. 기쁨, 보람, 만족, 애정, 친밀감, 공감…. 이런 것들이 오늘 하루를 살아내는 데 큰 힘을 줍니다. 하지만 때론 이런 관계들로부터 상처를 받기도 하죠.

인간관계 속에는 다양한 인간 형태가 존재합니다. 저는 한때 어떤 사람과도 잘 지낼 수 있다고 믿던 적이 있었습니다. 모두에게 사랑받는 그런 사람이 되고 싶었으니까요. 그것을 능력이라고 생각했습니다. 이를 위해서 감정을 있는 그대로 드러내지 않았습니다. 화가 나도 제대로 화를 보이지 않았고, 짜증이 나는 상황에서도 티를 내지 않았습니다. 서운해도 서운하다고 말하지 못했습니다. 그랬다가는 사람들이 저를 좋아하지 않을 것 같았기 때문입니다.

그렇게 사람들에게 '좋은 사람'이 되어갔지만, 저는 힘들었습니다. 감정을 있는 그대로 속 시원하게 표현하지 못하다 보니 제 자신에게는 '나쁜 사람'이 되어가고 있었기 때문입니다. 밖으로 나가지 못하고 안에만 머문 감정의 찌꺼기들은 매일 제 안에 차곡차곡 쌓였습니다. 무엇이든 한곳에 오래 머물면 썩기 마련입니다. 제 안에만 머물던 감정들도 썩어갔습니다. 한 사람에 대한 애정이 다른 사람에 대한 질투로 변하기도 하고, 제대로 표현하지 못한 서운함이 미움으로 변하기도 했습니다.

그러다 결국 심리상담을 받았습니다. 심리상담사는 제 안에 감정들이 숨어 있음을 알아차렸고, 그 덕분에 저는 갇혀 있던 유리벽을 깨고 나와, 하나 둘 제 마음을 꺼내 놓을 수 있었습니다. 꺼내지 못하고 안에만 쌓여 있던 이야기들을 말이지요. 아내와의 관계, 친구들과의 관계, 직장 동료들과의 관계…. 쌓여 있던 감정과 생각들을 쉴 새 없이 밖으로 쏟아내고 나니 눈물이 흐르며 속이 시원해지는 느낌을 받았습니다.

속을 비우는 연습을 하면서 중요한 사실 한 가지를 깨달았습니다.

'내 감정을 솔직히 얘기한다고 해서 타인에게 반드시 나쁜 사람이 되는 것은 아니다. 나의 솔직함을 응원해주고 반겨주는 이들이 생각보다 많다.'

그렇게 진정한 나를 찾으며 세상과 솔직히 만나가며 점점 많은 용기를 얻을 수 있었습니다. 지금 혹시 누군가와의 관계로 많은 아픔을 겪고 있거나 잘 풀리지 않는 관계 때문에 슬퍼하고 있다면 이 말을 꼭 하고 싶습니다. 우선 나의 마음을 내가 받아들여야 한다는 것을요. 타인의 마음을 내가 바꿀 수는 없습니다. 사람들과의 관계를 내 마음대로 변화시킬 수도 없습니다. 하지만 내 감정을 솔직히 인정하면 내 감정을 조절할 수 있습니다. 내가 내 감정의 진정한 주인이 되면 다른 사람과의 알맞은 거리도 찾아낼 수 있습니다. 일단은 내 마음이 편해야 다른 사람도 편하게 대할 수 있기 때문입니다.

11

# 회사에 불편한 사람이 있습니다

직장생활 8년 차이지만 인간관계는 아직 제게 너무 어려운 일입니다. 현재 같은 팀에 불편한 사람이 한 명 있습니다. 다른 팀에서 근무할 때는 회사에서 마주치면 눈인사 정도만 하는 사이였는데, 3개월 전 팀 이동을 하면서 같은 팀이 되었습니다. 처음에는 근속 연수도 같고, 직급도 같고, 나이도 동갑이라 큰 문제없이 친하게 지낼 수 있을 거라 생각했습니다.

그런데 현실은 생각과 달랐습니다. 저는 친하게 지내고 싶었는데, 상대방은 저를 경계하는 것처럼 느껴졌습니다. 다른 팀원에게는 상냥하게 잘 대해주면서 유독 저한테만 냉랭하고 쌀쌀맞았습니다. '내가 실수라도 한 건가?' 혹시 몰라 지난 3개월간의 행동을 돌이켜보았지만 딱히 떠오르는 이유가 없었습니다.

얼마 전 그 친구와 같은 프로젝트에 투입되었는데, 작은 의견 차이가 있었습니다. 그런데 서로 의견을 굽히지 않다 보니 결국 날카로운 신경전으로 발전했습니다. 다른 직원들 보기 민망해서 단둘이 회의실로 옮겨 언쟁을 벌일 정도였습니다. 이후로 우리 둘의 관계는 더 불편해졌습니다. 저는 이렇게 계속해서 불편하게 지내고 싶지 않은데 어떻게 하면 좋을까요? ●

## 소중한 단 한 사람이 더 중요해

직장인에게 회사 내에 불편하게 지내는 사람만큼 고달픈 일은 없습니다. 함께 있는 자리가 불편하다 보니 사사건건 더 신경을 쓰게 됩니다. 오늘 회식 자리에 그도 오는지, 점심을 팀원들끼리 먹는다고 하는데 그 친구도 참석하는지 등 불편한 상대가 참석한다면 어떻게 해서든 그 자리를 빠질 궁리부터 하게 됩니다. 월요일 아침이면 출근을 해야 한다는 사실이 힘든 게 아니라 5일 내내 그를 봐야 한다는 사실이 더 우울하게 만들지요.

그 사람은 왜 나에 대해서 그리 쉽게 마음의 문을 열지 않는 것일까요? 알고 보면 그는 내가 상대에게 친근함을 느꼈던 그 이유로 불편함을 느꼈을지도 모릅니다. 즉 근속연수도 같고 직급도 같고 나이도 같기 때문에 그 사람은 나를 불편하게 생각했을 수도 있다는 말이죠. 사람은 나와 비슷하다는 이유로 친근감을 느낄 수도 있지만 경쟁심을 느낄 수도 있습니다. 모든 사람의 마음이 내 마음과 같을 수는 없습니다.

이럴 경우 내가 선택할 수 있는 마음의 선택지는 두 가지입니다. 하나는 좀 더 친밀하게 다가가 보는 것이고, 또 하나는 딱 지금의 관계만큼만 유지하는 것입니다.

우선 좀 더 친해져보기로 마음먹었다면 상대를 관찰하는 것이 필요합니다. 어떤 커피를 좋아하는지, 요즘 관심 분야는 어떤 것인지, 즐겨 보는 TV 프로그램은 무엇인지 등 그의 이야기에 집중해야겠지요. 그러다 보면 조금 더 가까워질 수도 있습니다. 이럴 때 활용할 수 있는 심리학 기술이 '프랭클린 효과 Franklin Effect'입니다.

'그 사람의 마음을 얻기 위해서는 그에게 부탁을 하라.'

부탁을 들어줘도 모자를 판에 오히려 부탁을 하라니 좀 황당할 수도 있겠네요. 프랭클린은 미국 화폐에 등장할 만큼 유명한 정치가였습니다. 그는 의원 시절 자신의 법안을 통과시켜야 했는데, 그러려면 상대 정당의 지지가 필요했습니다. 하지만 그 상대 정당의 대표는 프랭클린에게 적대적이었죠. 프랭클린은 많은 고민을 합니다. '어떻게 하면 상대의 마음을 사로잡을 수 있을까?' 그러던 중 프랭클린은 상대에게 책을 한 권 빌려 달라는 편지를 씁니다. 그 책은 구하기 힘든 희귀한 책이었죠. 편지를 받은 상대방은 흔쾌히 책을 빌려줍니다. 사실 책을 빌려주는 것이 뭐 대단한 일은 아니었기 때문입니다. 그런데 그는 프랭클린에게 책을 빌려준 자신의 행동을 보고 이런 생각을 합니다.

'내가 프랭클린에게 책까지 빌려주는 호의를 베푼 것을 보니 실은 그가 그리 싫지는 않은가 보군.'

자신의 행동을 보고 자신의 태도를 결정한 경우입니다. 이후 둘은 의회에서 만나게 되고 급속히 가까워져 세상에 둘도 없는 친구가 되지요. 이 이야기를 통해 '프랭클린 효과'라는 용어가 탄생하게 되었습니다.

저의 경험을 얘기해볼게요. 회사에서 늘 좋지 않은 소문을 달고 다니는 남자 부하 직원이 한 명 있었습니다. 그에게는 늘 '선배에 대한 예의가 없다, 이기적이다, 동료 직원들과 잘 어울리지 못 한다' 같은 불편한 평가가 끊이질 않았죠. 하지만 저는 직속 후배였기에 그를 좀 보호해주고 싶었습니다. 그래서 그런 험담을 하는 사람들을 만나면 이렇게 말해주곤 했습니다. '아니다. 함께 일해보니 예의도 있고 배려심도 많다. 동료들과도 허물없이 잘 지내고 있다.' 그 후배에게도 직접적으로 말했습니다. '너에 대한 이런 얘기가 있으니 참고할 만한 것은 참고해라. 그리고 사실이 아니라고 생각되는 것에는 신경 쓰지 않았으면 좋겠다.'

저는 그렇게 후배에게 호의를 베풀었던 셈이지요. 그렇다고 특별히 예뻐해서 두둔했던 것은 아니었습니다. 단지 좋지 않은 소문을 달고 다니는 모습이 안타까웠던 거죠. 그렇게 행동하면서 생각했습니다. '저 후배를 신경 쓰고 도와주려는 걸 보니 내가 그 후배를 싫어하지는 않은가 보군.' 자신의 행동을 보고 자신의 태도를 결정하는 또 하나의 사례이죠. 그 이후로 그 후배를 더 챙기게 되었습니다. 후배가 제게 어떤 부탁을 했던 것은 아니지만 한 번 도움을 준 사람에게는 계속해서 도와주고 싶게 되더군요.

그가 당신에게 도움을 줄 수 있도록 해보세요. 상대에게 발표 준비를 좀 도와달라고 부탁해보는 것도 좋고, 진행 중인 보고서를 미리 한 번 보여주며 조언을 구하는 것도 좋습니다.

또 다른 선택지도 있습니다. 반드시 그와 친하게 지내야 하는 것은 아닙니다. 그냥 지금처럼 덤덤하게 지내보는 것은 어떨까요? 이미 친해지기 위한 노력은 해볼 만큼 해봤기 때문에 더 이상의 노력은 그만하고 싶을 수도 있습니다.

모든 결정은 자신이 하는 것입니다. 세상 모든 사람과 잘 지낼 필요는 없습니다. 그렇게 하는 것도 불가능합니다. 불편한 사람과 모든 시간을 함께하지는 않습니다. 어쩌면 잠시일 수 있습니다. 불편한 사람까지 굳이 내 곁에 두려고 힘을 뺄 필요는 없습니다. 차라리 내 감정을 솔직히 보여줄 수 있는 단 한 명의 사람이 더 중요합니다. 남의 감정을 위한 사회생활을 하지 않아도 괜찮습니다. 나를 위해 나의 감정을 아껴주세요.

> 비생산적인 인간관계는 정리하자. 당신에게 아무런 도움이 안 되는 인간관계도 정리하자.
>
> 《심플하게 산다》, 도미니크 로로

단순히 많은 사람과 관계를 맺는 것이 중요한 게 아닙니다. 내 생각의 많은 부분을 공유할 수 있는 단 한 사람을 만나는 것이 더 중요합니다. 관계를 위한 관계를 가질 필요도 없습니다.

굳이 불편한 상황이라면 머무르지 말고 그 자리를 떠나도 괜찮습니다. 내가 편하고 사랑하는 사람과 더 많은 시간을 가져보세요. 그렇게 하는 것이 나와 내가 사랑하는 사람들 그리고 나를 불편하게 느끼는 사람 모두에게 더 좋다는 것을 알게 될 것입니다.

## 12

# 회사에서의 내 모습은 나 같지가 않습니다

얼마 전에 팀을 옮겼습니다. 자원해서 이 팀으로 온 거죠. 그전 부서에서는 마음이 편하지 않았거든요. 왜냐하면 저는 활달한 편이라 하고 싶은 말은 웬만하면 다해야 직성이 풀리는 스타일인데, 팀장님부터 팀원들 대부분이 조용하고 말수도 적었어요. 더구나 팀장님이 제게 '김 대리는 너무 말이 많아. 그렇게 말을 많이 하면 일은 언제 하나?'라고 한 적도 있습니다. 그때 마음에 상처를 입어, 그 후 입을 다물었고, 결국 팀에서 겉돌다가 새 팀으로 자원하게 된 겁니다.
그런데 새로 옮긴 팀의 팀장님도 저와 안 맞았습니다. 밖에서 볼 때는 좋은 이미지였는데, 막상 직접 겪으니 기대했던 것과 많이 달랐습니다. 특히 특정 팀원에 대한 편애가 무척 심합니다. 지난번 팀에 잘 맞지 않아서 새로운 팀으로 왔는데, 여기서도 적응이 참 쉽지 않네

요. 내가 나다울 수 있는 그런 환경에서 일하고 싶어요. ●

## 나 같지 않은 나도 내 모습의 일부

말하는 것까지 뭐라 하는 팀장님은 제가 봐도 좀 너무하다는 생각이 드네요. 일을 펑크 내며 말만 하고 다니는 것도 아닐 텐데 말이죠. 더욱이 할 말은 해야 직성이 풀리는 스타일이라면 더 고민이 되지요.

저 역시 활달하고 쾌활한 성격이라 유난히 공감이 갑니다. 저도 혼자서 일을 묵묵히 수행해내는 것보다는 동료들과 어울려서 이런 얘기, 저런 얘기 해가면서 일하는 걸 선호하지요. 제가 팀 이전을 발령받아 새로운 팀에서 근무를 하게 된 적이 있어요. 기존에는 몰랐던 새로운 방식과 관점을 익힐 수 있어 업무 자체는 마음에 들었습니다. 하지만 문제는 팀의 분위기였어요. 무척 조용해서 자리에서 유선전화로 업무 관련 통화를 할 때면 주위 사람들까지 함께 들을 수밖에 없는 환경이었습니다. 그런 가라앉은 분위기 속에서 답답함을 많이 느꼈습니다. 무엇보다 예전과는 다르게 항상 조용하게 지내야 했기 때문에 내가 아닌 것 같았습니다.

'나는 원래 쾌활하고 활기찬 사람인데, 여기서는 그렇게 하지 못하니 답답하다'는 마음뿐이었습니다. '나답지 못하다'는 생각, '내가 아닌 타인의 삶을 살고 있는 것 같다'는 생각까지 들었습니다. 급기야 퇴사하고 싶은 생각까지 들더군요. 하지만 반대로 잘 버텨내고 싶기도 했습니다. 저에게는 도전이라고 생각했으니까요. 그래서 속으로 계속 되뇌었습니다. '내가 원래 활동적인 성격이긴 하지만 항상 그럴 수는 없잖아. 좀 더 조용하고 차분한 모습도 결국 나의 일부야.' 이렇게 생각하니 좀 마음이 편안해졌습니다. 내가 낯설어했던 모습도 나의 일부임을 받아들인 것이지요.

사람은 누구나 항상 같은 모습으로 살아갈 수 없습니다. 강물이 겉으로는 매번 같은 모습으로 흐르는 것 같지만 그 강줄기를 타고 내려가는 물은 매 순간 다른 물입니다.

우리는 같은 강물에 발을 두 번 담글 수 없다.

헤라클레이토스

우리가 같은 강물에 발을 두 번 담글 수 없듯이 다른 사람에게 매번 똑같은 내 모습을 보여줄 수는 없습니다. 적극적으로 회의를 주도하는 모습도 '나'이고, 조용히 다른 사람의 의견을 따라가는 모습 역시 '나'입니다. 문제 해결을 위해 다양한 방법을 시도해보는 것도 '나'이고, 잘 안 될 것 같다며 슬쩍 빠지는 모습의 나도 결국 '나'입니다. 익숙하지 않은 자신의 모습에 익숙해지는 데는 시간이 필요합니다.

심리학 이론에는 '스트룹 효과Stroop effect'라는 이론이 있습니다. 색깔 관련 단어를 인지할 때 단어의 의미와 글자의 색깔이 실제로 일치하지 않는 경우 색깔을 인지하는 반응속도가 늦어지는 현상을 말합니다. 즉 익숙한 것을 무시하는 데 시간이 걸림을 의미합니다.

초록색 연필로 '노란색'이라고 적힌 글씨를 보면 순간 멈칫합니다. 하지만 잠시 어색할 뿐 그래도 노란색은 노란색입니다. 사람도 마찬가지입니다. 잠시 다른 색깔로 표현된 나도 결국은 '나'입니다. 그저 잠시 멈칫하는 것뿐이죠. 예전의 모습을 보여주지 못한다고 해서 너무 답답해하거나 자책하지 마세요. 나는 여전히 그 모습 그대로입니다. 자신이 생각하는 '나'의 범위를 더 넓혀보기를 바랍니다.

13

# 금수저 동료가 너무 부럽습니다

대기업에 다니는 5년 차 직장인입니다. 저는 가정 형편이 넉넉하지 않아 대학 입학금만 부모님 지원을 받았을 뿐 졸업할 때까지 각종 아르바이트와 학자금 대출, 장학금 등으로 등록금을 스스로 해결하며 학교를 졸업했습니다. 그래서 이 회사에 합격했을 때, 저는 물론이고 우리 가족 모두가 잔칫날 같았습니다. 성실하게 회사에 다니면서 월급을 꼬박꼬박 모아서 가난에서 탈출하겠다는 의지도 생겼습니다. 작은 평수의 아파트라도 장만해놓고 결혼하려고 지금은 일부러 연애도 하지 않고 있습니다.

그런데 어느 날 제 옆자리 동료가 금수저라는 사실을 알게 되었습니다. 아버지와 어머니 두 분 다 대학교수에 재산도 많고 벌써 자기 명의의 아파트가 있다고 합니다. 내년쯤 결혼할 예정이라는데, 처갓집도 상당한 부자 같았습니다. 같은 회사에 나란히 앉아 같은 일을 하지만, 우리는 출발선부터 다르구나 하는 생각에 마음이 괴롭습니다. 내가 아무리 성실히 일하고 아끼며 모아도 이 친구와의 거리는 좁히지 못할 거라는 생각에 제 자신이 처량하게 느껴집니다.
그러다 보니 관계가 점점 불편해졌습니다. 그 동료를 대할 때마다 위축되기도 하고요. 때로는 부모님이 원망스럽기도 합니다. 못난 내 모습이 너무 싫어지고요. 차라리 동료가 금수저라는 사실을 몰랐으면 좋았겠다는 마음입니다. ●

## 내가 가지고 태어난 나만의 금수저

동료가 금수저라는 사실을 알게 되었다니 상대적 박탈감이 많았을 것 같습니다. 나와 비슷하다고 생각했던 동료의 모든 면이 갑자기 부러워보일 수 있지요. 당연히 속도 상하고요. 문제는 그럴수록 스스로 바보처럼 느껴진다는 것입니다.

하지만 절대 그런 생각을 할 필요가 없습니다. 지금까지 그 어느 누구보다 주어진 현실에서 잘 해왔으니 오히려 칭찬을 받아도 모자랍니다. 이미 손에 많은 걸 들고 태어난 사람보다 훨

씬 더 많은 것을 노력으로 이뤄냈으니까요.

사회생활을 하다 보면 주변에서 금수저를 마주칠 때가 있습니다. 왜 힘들게 회사를 다닐까 싶을 정도의 금수저 동료도 있습니다. 사실 금수저 자체는 나쁜 것이 아닙니다. 아니 오히려 부러움의 대상인 게 맞습니다. 부모로부터 좋은 조건을 물려받은 것이니까요. 부모의 높은 학력, 좋은 직업, 사회적 인지도, 많은 재산 등을 가지고 있으면, 그것들을 발판으로 더 빨리 더 높게 더 잘 뛰어갈 수 있기 때문입니다. 하지만 그것은 현재 가지고 있는 것에 대한 부러움이지 그들의 미래에 대한 부러움은 아닙니다.

스스로 이뤄낸 것이 많은 사람은 앞으로도 많은 걸 이뤄낼 수 있습니다. 이미 쉽지 않은 환경에서 많은 경험을 했기에 미래를 이뤄낼 능력을 가지고 있기 때문입니다. 자기 스스로 하나하나 이뤄내는 인생은 절대 금수저 동료보다 뒤지지 않습니다. 오히려 앞으로 더 많은 것을 이룰 실력을 가지고 있습니다.

제가 그런 자식을 두었다면 정말 대견하고 장하다고 여길 것 같습니다. 혼자 애쓰는 모습을 보면서 다른 부모만큼 많이 해주지 못해 미안함을 느꼈을 것입니다. 하지만 사실 그런 미안함도 느낄 필요가 없습니다. 자신의 미래를 차곡차곡 잘 준비하는 능력을 가지고 있고 게다가 마음까지 따뜻한 자식이기 때문이죠.

그렇다고 금수저 동료가 전혀 신경 쓰이지 않을 수는 없습니다. 이런 이야기를 하고 싶습니다. 금수저가 꼭 태어난 집안, 경제력에만 해당하는 것일까요? 그렇지 않습니다. 누구나 자신만의 '금수저'를 가지고 있습니다. 저 역시 금수저는 아닙니다. 아마 흙수저와 동수저의 중간쯤일 것입니다. 하지만 이것은 경제적으로 따졌을 때이고, 저는 저만이 갖고 태어난 금수저가 따로 있습니다. 훈훈한 외모랄까요? 제 입으로 말하니 조금 부끄럽기는 하네요. 뛰어나게 잘생겼다기보다는 호감 가는 외모 정도는 된다는 말입니다.

저는 대학 입학 초부터 사회 초년생이 될 때까지 약 10년 동안 반지하 주택에서 살았습니다. 풍족한 환경은 아니었죠. 하지만 대신 '좋은 인상'을 가졌다는 자신감으로 살아왔습니다. '좋은 인상'의 장점은 사람들로부터 쉽게 호감을 얻을 수 있다는 점입니다. 처음 만났을 때, 기존의 인간관계를 이어나갈 때, 무언가 아쉬운 소리를 하고 부탁을 할 때, 좋은 인상은 분명 도움이 된다고 믿었습니다. 물론 제 착각일 수도 있습니다. 그렇지만 이런 믿음 자체가 제 자신에게 자신감을 주었습니다. 자신감 있는 태도로 사람들을 대하다 보니 실제로 좋아졌습니다. 원하는 것을 좀 더 쉽게 얻기도 했고요. 좋은 믿음이 실제로 좋은 결과를 만드는 셈입니다. 저는 이것을 '외모 금수저의 선순환 효과'라고 부릅니다.

심리학에는 '부분 자극의 확대 효과'라는 이론이 있습니다. 어떤 특정한 한 가지에 대해 지속적으로 칭찬하면 거기서 발생한 자신감이 다른 부분에도 옮겨가 심리적 자신감이 커지는 현상을 말합니다. 즉 하나의 자신감으로 다른 자신감이 생겨난다는 이론입니다. 자아의 일부에 대한 칭찬이 자아 전체로 확대해 나가는 심리적 메커니즘이라고도 할 수 있겠네요.

자신의 강점을 찾지 못한 사람은 있어도 타고난 강점이 없는 사람은 없습니다. 가지고 태어난 나만의 금수저를 찾아보세요. '외모'의 금수저, '성격'의 금수저, '화술'의 금수저, '운동신경'의 금수저, '감수성'의 금수저, '춤'의 금수저, '창의성'의 금수저, '탐구력'의 금수저, '실천력'의 금수저, '글쓰기'의 금수저, '노래'의 금수저, '친화력'의 금수저, '연예'의 금수저, '사색'의 금수저, '철학'의 금수저, '봉사정신'의 금수저 등 종류만 해도 셀 수 없이 많습니다.

내가 어떤 금수저를 가지고 태어났는지는 자기 자신에게 제일 먼저 물어보세요. 내 안의 나와 만나보면 어떤 사람인지 알 수 있습니다. 누군가 이런 말을 했습니다. '이 세상에서 가장 의미 있는 여행은 자신 내면으로의 여행이다.' 나만의 금수저를 찾는 여행을 떠나보길 바랍니다. 그리고 가장 마음에 드는 타고난 자신만의 강점을 찾아 힘껏 외쳐 보십시오.

"나는 ○○ 금수저다. 난 내가 타고난 이 금수저를 적극 활용할 것이다. 그래서 꼭 성공할 것이다."

금수저를 찾았다면 매일 아침 출근길에 주머니에 넣고, 길을 나서길 바랍니다. 그리고 다른 사람이 부러워질 때 주머니 속에 든 자신의 금수저를 만지작거리며 용기와 자신감을 갖길 바랍니다.

14

# 팀장인데도 팀원들의 눈치를 봅니다

작은 규모의 디자인 회사에 다니는 10년 차 직장인입니다. 팀장님이 퇴사하면서 두 달 전 엉겁결에 팀장이 되었습니다. 팀원일 때는 팀장님의 부족한 점만 보였고, 팀원들과 모여서 흉도 보곤 했는데, 막상 제가 팀장이 되고 보니 이 자리가 너무 어렵네요.

요즘 매일 아침 출근 인사를 할 때면 팀원들의 눈치를 살핍니다. 한 명이라도 기분이 안 좋아 보이면, 온종일 신경이 쓰입니다. '저 친구는 어젯밤에 무슨 일이 있었나? 왜 저렇게 기분이 안 좋지? 팀원들과 문제라도 있는 건가? 아니면 나한테 불만 있나? 어떻게 하면 기분을 풀어줄 수 있을까? 밥이라도 한 번 사줄까? 아니면 저녁에 술이라도 한잔하자고 할까?' 이런저런 생각을 하느라 업무에 제대로 신경을 쓰지 못하기도 합니다. 팀원들이 모두 기분이 좋아 보이는 날은 그나마 제 마음이 놓이고요.

팀장 자리가 이렇게 어려운 줄 몰랐습니다. 팀원들 모두가 사이좋게 지내고 분위기가 항상 좋으면 좋겠어요. 아니 좀 더 정확히 말하면 제가 팀원들 기분에 신경 좀 덜 쓰게 됐으면 좋겠어요. 어떻게 하면 좋을까요? ●

## 최고의 자신감은 내가 내게 주는 자신감

팀장이 된다는 것은 사회생활을 어느 정도 인정받았다는 것이니 분명 축하할 만한 일입니다. 하지만 하나의 팀을 관리하고 책임지는 팀장의 자리는 생각만큼 쉽지가 않습니다.

게다가 팀장이라고 해서 모든 것을 마음대로 할 수 있는 것도 아닙니다. 오히려 팀원일 때보다 더 눈치를 볼 수도 있습니다. 물론 팀장으로서 팀원들의 눈치를 본다는 것은 그만큼 팀원들의 기분을 존중하고 배려한다는 의미입니다. 하지만 뭐든 정도가 지나치면 문제가 생기기 마련이죠. 너무 팀원들의 기분과 시각에만 의존하다 보면 정작 팀장으로서의 역할을 자신감 있게 수행해내기 어렵습니다. 팀장은 팀원들의 입장도 생각해야 하지만 회사의 입장에서도 생각해야 합니다. 팀장은 팀원들과 회사를 이어주는 다리 역할을 해야 하기 때문입니다. 그래서 비록 팀원들이 불평불만을 가지더라도 회사의 방향과 입장을 설명하고 납득시켜야 하는 경우도 많습니다. 사실 그런 일을 하라고 회사에서는 팀장의 직책을 부여하는 것이죠.

물론 마음의 준비 없이 갑자기 팀장 자리를 떠맡게 된 경우라면 더 힘들 수 있습니다. 하지만 누구에게나 처음은 있는 법입니다. 그러니 일단 자신감이 필요합니다. 처음부터 잘해야겠다는 조바심을 가질 필요도 없습니다.

무슨 일이든 처음 할 때는 어느 정도 수련기간이 필요합니다. 팀장 자리 역시 마찬가지입니다. 역할에 적응할 시간이 필요한 것이죠. 내가 이끌어가야 하는 팀의 목적은 무엇인지, 팀원들은 각기 어떤 성향과 바람을 갖고 있는지, 회사가 이 팀에게 바라는 것은 무엇인지 나름 시간을 두고 천천히 파악하는 것입니다. 팀과 팀원에 대해 어느 정도 파악이 되면, 팀장으로서 무엇을 하면 되는지 생각하고 그에 따라 실행하면 됩니다. 그 과정에서 내 생각이 맞을 수도 있고 아닐 수도 있습니다. 맞았다면 계속 집중하며 강화해 나아가고, 아니라면 중단하거나 수정 · 보완하면 됩니다. 그렇게 팀장으로서 나만의 노하우와 경험을 쌓고, 심리적 성숙과 업무적 성숙을 동시에 만들어나가는 것입니다. 유능한 팀장들은 모두 이 과정을 거쳤습니다.

성숙함은 자신감을 더욱 증가시키고, 자신감은 자신이 맡은 역할을 실제로 더 잘 수행해낼 수 있도록 합니다. 이러한 선순환 구조의 시작은 바로 '자신감'입니다. '나는 팀장 역할을 잘 수행해낼 수 있다'라고 믿는 자신감이 바로 선순환의 시작입니다. 팀장으로서의 자신감은 팀원들의 기분과 생각에 너무 몰두해서는 발휘될 수 없습니다.

'내가 이 말을 하면 팀원들이 어떻게 받아들일까?

'저 친구가 지금 기분이 안 좋아 보이는데 지금 불러서 일을 맡겨도 될까, 그냥 내가 해버릴까?'

'저녁에 술이라도 한잔 사준다고 하면 좋아할까?'

생각에 생각이 꼬리를 무는데, 어떻게 팀장 역할을 제대로 할 수 있을까요? 팀장이 자신감 없이 팀원들을 대하면 팀원들 역시 고스란히 느낍니다. 그런 팀장을 제대로 인정하기 어렵지요. 자신감 있는 사람은 말 하나, 행동 하나에 자신감이 배어 있습니다. 말하는 내용도 중요하지만 말을 하는 방법과 형식도 중요합니다. 말하는 속도, 억양, 높이, 표정, 몸짓 등으로 똑같은 말도 다르게 전달될 수 있습니다. 말이 담긴 그릇이라고 할까요? 내가 생각하는 가장 자신감 있는 말투로 가장 자신감 있게 팀원들을 대해야 합니다.

> 나는 힘과 자신감을 찾아 항상 바깥으로 눈을 돌렸지만 자신감은 내면에서 나온다. 자신감은 항상 그곳에 있다.

정신분석학자 안나 프로이트Anna Freud의 말입니다. 자신감은 다른 사람이 아닌 내가 나에게 주는 것입니다. 나는 가만히 있는데, 누가 와서 주고 가는 것이 아닙니다. 내가 어떤 사람이건, 지금 어떤 조건에 놓여 있건 간에 내가 원하면 내가 나에게 자신감을 줄 수 있습니다.

요즘 직장인들은 워라밸을 중요시하니 퇴근 후 회식을 하자고 팀원들에게 말하기 괜스레 머뭇거려질 수 있습니다. 사실 이 정도는 고민하지 않아도 됩니다. 회식은 어찌 보면 팀장으로서 하나의 권한입니다. 회식은 단순히 먹고 마시는 시간이라 생각할 수도 있지만 이를 통해 팀의 사기를 높이는 시간이라 생각할 수 있기 때문입니다. 그렇다고 팀원 모두가 무조건 참석해야 한다는 의미는 아닙니다. 개인 사정이 있으면 참석하지 못할 수도 있습니다. 팀원들의 불참을 두려워할 필요는 없습니다. 미리 공지했어도 전부 참석하지 못한다면 '그만한 이유가 있겠지' 하며 대수롭지 않게 넘길 수 있는 의연한 마음을 가지면 됩니다.

이런 결정들을 팀원 한 명 한 명에게 일일이 물어보는 것은 너무 우유부단해 보일 수 있습니다. 팀장은 '독단'과 '우유부단' 사이 어디쯤 위치해야 합니다. 쉽지는 않지만 시간을 두고 천천히 그 적절한 위치를 찾아나가면 됩니다.

회식이 퇴근 후 식사만은 아닙니다. 점심 한 끼도 좋고 차를 마시는 회식도 회식입니다. 공연을 한 편 같이 봐도 좋습니다. 팀이 무언가를 함께한다는 것, 그 자체가 가장 중요합니다. 그러니 팀원의 의견은 수렴하지만 결정을 내리는 것은 팀장의 몫이 되어야 합니다. 그리고 결정했으면 자신 있게 밀어붙여야 합니다.

스스로에게 자신감을 부여하세요. 모든 사람에게는 시간과 경험이 필요합니다. 처음부터 잘 하는 사람은 없습니다. 그걸 인정하면 됩니다. 자신감은 좀 더 잘할 수 있게 해줍니다. 천천히 잘해도 되지만 마음먹으면 더 빨리 잘할 수도 있다는 의미입니다.

## 15

# 회사 안에서
# 따돌림을 받는다는
# 생각이 듭니다

저는 우리 팀의 왕따입니다. 아니 왕따라는 생각이 듭니다. 얼마 전에 저를 제외한 남자직원들끼리 주말에 골프를 치러 간 사실을 알게 되었습니다. 그것도 서로 비밀로 하기로 했는데, 회식 자리에서 동료 한 명이 술김에 말해버려 우연히 알게 되었습니다. '왜 나만 빼고 골프를 치러 간 걸까? 이게 처음이었을까? 앞으로도 그러면 어떡하지?' 이런 생각으로 머리가 터질 것 같습니다. 저도 골프 칠 줄 알고, 골프 치러 갈 돈도 있는데 그들은 왜 저만 빼놓고 간 걸까요? 나를 따돌린 동료들을 미워해야 할 텐데, 오히려 그들 모임에 끼지 못한 제 자신이 창피하고 부끄럽습니다. 솔직하게 물어볼까요? 아니면 회사를 옮길까요? 조언 부탁드립니다. ●

## 인식이 진실보다 중요할 때

같이 일하는 동료 모두가 함께한 일에 나만 빠진 걸 알았을 때의 기분이 얼마나 황망할지 짐작이 갑니다. 마음이 많이 혼란스러울 것 같네요. 그것도 누군가 얘기해준 게 아니라 술김에 우연히 알게 되었으니 마음은 더 착잡할 수밖에 없겠네요. 어찌 보면 별것도 아닌데 그게 뭐라고 마음이 쓰입니다.

그런데 나를 쏙 빼놓은 그들이 밉다기보다 오히려 끼지 못한 내 자신이 창피하고 부끄럽기까지 하군요. 왜 이런 마음이 들었을까요? 나만 함께하지 못했다는 그 사실 자체보다 초대받지 못한 무언가 특별한 이유가 있지 않을까 하는 걱정 때문이겠지요. 그 이유가 내가 뭔가 부족하고 매력적이지 못한 사람이면 어쩌나 하는 것이고요.

정작 그들끼리 골프를 치러간 데는 별 이유가 없을 수 있습니다. 처음 골프 얘기가 나왔던 자리에 함께 있던 사람들끼리 간 것일 수도 있고, 내가 골프를 친다는 사실을 그들이 몰랐을 수도 있습니다. 물론 이유야 그들만 알고 있습니다. 물어보기 전에는 알 수 없죠. 그런데 중요한 것은 정확한 이유를 아는 것보다 이 상황을 받아들이는 마음가짐입니다.

초대하지 않은 이유를 곰곰이 생각하다 보면 한도 끝도 없습니다. 상상의 나래만 펼쳐지고, 그 상상은 부정적으로 흘러갈 가능성이 높습니다. 시작이 부정적이기 때문이죠. 부정적인 생각이 어느 한 순간 갑자기 긍정적으로 바뀌기는 어렵습니다. 가장 좋은 방법은 이 상황을 대수롭지 않게 여기려 노력하는 것입니다. 그냥 이렇게 생각하는 거예요.

'뭐, 자기들끼리 갈 이유가 있었겠지.'

나를 싫어하거나 빼야 하는 특별한 이유는 없다고 생각하는 겁니다. 누구나 그럴 때가 있지 않나요? 주위 사람들을 모아 밥을 먹거나 쇼핑을 가거나 여행을 갈 때 '모두'와 가지는 않습니다. 누구는 초대했지만 누구는 초대하지 않습니다. 초대하지 않은 특별한 이유가 있었나요? 사실 이유가 없을 때가 거의 대부분입니다. 그렇게 아무 일 없었던 듯이 지내다가 그 이유가 정말 궁금하면 한 번 슬쩍 물어보세요.

"골프 치러 갔다면서요? 그런데 나는 왜 안 불렀어요? 다음번에는 같이 가요."

웃으면서 쿨하게 말하면, 상대방도 가벼운 마음으로 바라볼 것입니다. 다음번 골프 모임에 자연스럽게 부를 수도 있고, 또 부르지 않을 수도 있습니다. 하지만 쿨하게 말하고 난 뒤에 마음이 이미 편안해졌다면 그 모임에 끼던 끼지 못하던 상관이 없어집니다. 그렇게까지 말했는데 또 부르지 않는다면 그냥 두세요. 자기들끼리 가고 싶은 이유가 있나 보죠. 그들과 꼭 함께 골프를 칠 필요는 없지 않나요? 골프를 함께 칠 사람은 많습니다.

사실 그들끼리만 골프를 치러 간 이유를 알아내는 것보다도 더 중요한 건 나를 뺀 이유가 왜 이렇게 신경 쓰이는가입니다. 그러므로 나를 부르지 않은 이유를 고민할 것이 아니라 왜 이 상황을 민감하게 고민하고 반응하는지를 생각해보기 바랍니다.

심리학에는 '크레쇼프 효과Koulechove effect'라는 이론이 있습니다. 같은 사진을 보더라도 어떤 사진과 함께 봤느냐에 따라 해석이 달라지는 심리적 경향을 말합니다. 예를 들어 무표정한 남성 사진과 관 속에 누워 있는 여자 아이의 사진을 함께 보여줍니다. 그리고 남성의 표정에서 어떤 감정이 느껴지는지를 사람들에게 묻습니다. 그럼 대부분의 사람들은 '슬픔'을 얘기합니다. 이번에는 무표정한 남성 사진과 수프가 담긴 그릇 사진을 함께 보여줍니다. 그러고 나서 남성의 표정에서 어떤 감정이 느껴지는지를 물어보면 대부분의 사람은 '배고픔'을 얘기합니다. 이번에는 매혹적인 여성 사진과 함께 남성 사진을 보여주면 대부분 사람들은 남성이 '성욕'을 느끼고 있다고 말합니다.

같은 사진이라도 연관되는 사진에 따라 해석이 달라집니다.

마음도 마찬가지입니다. 같은 상황이라도 지금 어떤 생각을 하느냐에 따라 해석이 달라집니다. 그들에 대해 지금 어떤 마음을 가졌는지 살펴보기 바랍니다. 왜 그들과 어울리고 싶은지, 그들에게 인정받고 싶은 욕구가 있는지, 그 무리에 어떤 의미를 부여하고 있는지를 말이죠.

혹시라도 그들이 큰 의미를 준다 해도 그 안에서 나의 가치와 의미를 찾을 필요는 없습니다. 내 가치는 스스로 찾아야 합니다. 누군가와 함께해야 가치 있고 그렇지 못하면 가치가 떨어지는 것은 아닙니다. 나는 혼자 있을 때도 '나'라는 사실을 잊지 마세요. 다른 사람들과의 관계를 통해 나를 찾으려 하지 마세요.

내가 처한 상황과 이유에 대해 전전긍긍할 에너지가 있다면 좀 더 의미 있는 곳에 사용하는 게 좋습니다. 대수롭지 않을 수 있는 상황은 대수롭지 않게 여기길 바랍니다. 대수로운 상황이라도 내가 대수롭지 않게 여기면 그걸로 끝입니다. 그것이 바로 사실을 뛰어넘는 인식과 마음의 힘입니다. 의연하고 편안한 마음가짐은 신경 쓰이는 불편한 진실을 뛰어넘을 수 있는 힘을 가지고 있습니다. 인식으로 실제를 다스리는 의연한 존재가 되길 바랍니다.

16

# 사람들과 어울리지 못하는 나, 잘못된 건가요?

대학교 행정과에 근무하고 있는 직장인입니다. 저는 요즘 제 자신에 대해 회의감이 듭니다. 그전에는 몰랐는데, 성격에 문제가 있는 것 같아서요. 일단, 저는 혼자 있는 게 편합니다. 점심 식사도 혼자 하는 날이 많아요. 밥 먹고 카페에서 차 한잔 마시면서 음악을 들으면 마음이 편해지거든요. 다른 직원들이 간식을 먹더라도 저는 배가 고프지 않으면 같이 먹지 않습니다. 그게 당연한 거라고 생각했어요. 그런데 얼마 전 팀장님이 차 한잔하자고 하더니, 한마디 하더군요. 다른 직원들과 좀 더 어울렸으면 좋겠다고요. 혼자 겉도는 제가 안쓰러워서 간식 타임도 일부러 만들곤 하는데, 제가 번번이 빠져서 난처했다고요. 그리고 한 직원이 저 때문에 불편하다고 불평을 했다는 말도 전했습니다.

처음에는 팀장님도 다른 직원도 이해가 안 되었습니다. '직장은 말 그대로 직장일 뿐인데, 왜 억지로 내가 그들과 함께하고 친해져야 하는 거지? 이건 강요야.' 속으로 불만을 터뜨렸습니다. 그런데 며칠 전 엄마가 제게 비슷한 말을 했어요. 가족들도 제가 혼자 있는 걸 너무 좋아하는 것 같아 걱정이라고 말이죠. 그래서 제 성격이 문제일 수 있겠다는 생각이 들었습니다. 저는 학교 다닐 때도 혼자인 게 더 좋았고, 그래서 친구가 많지 않았습니다. 좁고 깊게 사귀는 편이죠.
업무 자체는 재미있고 적성에도 맞는데, 혼자 있는 게 편한 제 성격이 다른 사람들한테 불편함을 준다면 고쳐보고 싶기는 합니다. ●

## 어울림은
## 맞고 틀리고를 말할 수 없는 문제

내 모습에 대한 얘기를 누군가에게 듣는다면 마음이 편할 수는 없습니다. 더구나 그 상대가 직장 상사라면 신경 쓰이는 것은 당연합니다. 혼자 있는 게 편해서 그렇게 해왔던 것뿐인데, 그런 내 모습 때문에 다른 사람이 걱정하고 불만을 갖는다니 당황스러울 수도 있겠네요. 좀 서운한 감정이 들 수도 있지요. 직장은 어디까지나 직장이지 친목의 장소는 아니니 말이죠. 혼자 먹고 싶으면 혼자 먹고, 혼자 음악을 듣고 싶으면 혼자 듣는 게 잘못하는 일은 아니잖아요? 모든 것을 함께해야 하는 건 아니니까요

사실 정답은 없습니다. 혼자 있기 좋아하는 성향과 어울리기 좋아하는 성향, 이 두 가지는 맞고 틀리고의 문제는 아닙니다. 단지 어울리는 성향이 더 맞는 조직이 있고, 그렇지 않은 성향이 더 맞는 조직이 있을 뿐입니다. 그런데 회사생활을 하는 데는 아무래도 어울리는 성향이 좀 더 유리하긴 합니다. 회사는 나 혼자 업무를 처리하는 곳이 아니기 때문이죠. 일을 하다 보면 동료와 논의도 해야 하고, 유관부서와 협업하고 상사에게 보고도 해야 합니다. 그런 면에서는 어울리기 좋아하는 성향이 더 유리할 것 같기는 하지만 말 그대로 유리한 것이지 맞는 것은 아닙니다.

회사에서는 오히려 적당한 거리를 유지해야 제대로 할 수 있는 일도 많습니다. 함께 근무하지만 어느 정도 거리를 둬야 한다는 뜻입니다. 현악기가 아름다운 하나의 음악을 연주하지만 그 줄은 따로 떨어져 있고, 여러 개의 기둥이 하나의 지붕을 떠받히고 있지만 서로 떨어져 있듯 말이죠. 줄들이 서로 엉켜 있고 기둥들이 서로 붙어 있다면, 좋은 소리와 튼튼한 집은 기대할 수 없습니다.

사람들 사이의 관계도 마찬가지입니다. 함께 있지만 그 거리가 너무 가깝다면 부작용이 일어날 수 있습니다. 더욱이 어울리기를 좋아하는 사람으로만 회사가 채워져 있다면 과연 회사가 제대로 운영될 수 있을지도 의문입니다. 가끔은 혼자 진지하게 해야 하는 깊은 고민의 업무를 못 할 수도 있습니다.

혼자인 것을 즐기는 성향 자체가 잘못된 것은 전혀 아닙니다. 대신 중요한 것은 현재 업무를 어떻게 바라보는가 하는 것입니다. 현재 일에 만족감을 느끼는지, 앞으로도 오랫동안 하고 싶은 일인지가 중요합니다. 만약 그렇지 않다면 회사 내 다른 업무나 다른 회사를 알아보는 것도 좋은 방법입니다.

만약 내가 지금 하는 일이 꼭 하고 싶은 일이라면, 성향 자체를 바꿀 필요는 없지만 팀장님과 팀원의 바람에 좀 부응할 필요는 있습니다. 어쨌든 회사는 조직이기 때문입니다. 일부러라도 동료와 함께하는 시간을 늘려 보세요. 일주일에 한두 번은 밥도 같이 먹고, 회식은 되도록 빠지지 않고 참석해보는 것입니다. 마음 맞는 동료에게는 소소한 선물을 챙겨보는 것도 좋겠네요. 그렇게 동료들과 인간적인 접촉을 조금씩 늘려가는 것입니다.

당연히 성향 자체를 바꾸라는 것이 아닙니다. 혼자 있는 시간을 즐기고 음악도 듣고 사색하는 성향은 그 자체로 존중받아야 합니다. 성향이 파란색인 사람이 어느 날 갑자기 빨간색이나 초록색이 될 수는 없습니다. 단지 주위 색과 좀 더 어울릴 수 있도록 푸른색, 옅은 푸른색, 옅은 파란색, 진한 파란색, 푸르스름한 색, 시퍼런 색, 새파란 색 등으로 조금씩 변할 수는 있겠죠. 그렇지만 나만의 색깔인 파란색 자체가 변하는 것은 아닙니다. 내 성향을 가지고 뭐라 하는 사람이 있다면 그렇게 말하는 그 사람이 잘못된 겁니다. 파란 색종이에게 "넌 왜 파란색이냐? 잘못됐어!"라고 말하는 것과 같습니다.

남에게 피해를 주지 않는다면 이 세상에 잘못된 성향이란 없습니다. 단지 상황에 따라 나와 좀 더 맞고 맞지 않는 성향이 있을 뿐입니다. 이것도 상황에 따라서 바뀝니다. 내 성향 때문에 불편한 마음을 느끼는 동료가 주위에 있다면 그런 사람이 있다는 걸 아는 정도면 됩니다. 그리고 그 불편한 마음을 덜어주려는 노력을 좀 하면 그뿐입니다. 더 이상 할 것은 없습니다.

이런 고민을 하는 것 자체가 멋진 사람입니다. 그러니 너무 걱정하지는 마세요. 자신의 성향을 바꾸지 않고도 적은 노력만으로도 주위 동료들과 정말 멋지게 잘 지낼 수 있을 것입니다.

## 17

# 나이 많은
# 부하 직원 대하기가
# 불편합니다

저보다 나이 많은 부하 직원이 한 명 있습니다. 나이가 많을 뿐만 아니라 실제 근속연수도 더 깁니다. 실력이 없는 건 아닌데 입사 방법이 조금 달랐기 때문입니다. 저도 그도 성격이 활발하고 관심사가 비슷해 개인적인 관계는 큰 문제가 없습니다. 하지만 문제는 일을 할 때입니다. 제가 그보다 업무 경험이 부족하고 나이는 어린데 직급이 위에 있다 보니 업무를 지시해야 하는 입장인데, 그게 쉽지가 않습니다.

업무에 대해 잘 모르는 사람이 더 잘 아는 사람에게 지시를 한다는 것 자체가 말이 안 되는 것 같아, 업무 지시를 해야 하는 상황에서 머뭇거려집니다. 그런 제 모습을 보는 상대방도 저에 대한 존중감이 떨어지는 것 같습니다. 하지만 어쨌든 회사는 회사이기 때문에 정해진 룰은 따라야 한다고 생각합니다. 업무 경험이 좀 없는 사람이라도 직급은 존중되어야 하니까요. 때론 제가 하는 업무상 부탁이나 지시를 그리 달가워하지 않는 것 같기도 합니다. 그런 그가 미워지기도 합니다. 솔직히 그가 다른 부서로 발령이 나면 좋겠다는 생각을 합니다. 이런 불편한 관계 속에서 어떻게 하면 좋을까요? ●

## 상대의 강점을 찾아 인정하기

저는 경력사원으로 이직한 경험이 있습니다. 제가 근무한 곳은 크게 세 가지 방법으로 채용을 했습니다. 대졸 공채 사원, 경력직 사원 그리고 일반 공채 사원입니다. 일반 공채 사원은 낮은 직급부터 시작하다 보니 오랜 시간 경험을 쌓게 됩니다. 학력 면에서는 대졸 공채 사원보다 부족해보일지는 모르지만 업무 경험은 전문적이고 풍부합니다.

반면 대졸 공채 사원들은 근무 경험과 지식이 상대적으로 부족합니다. 그들은 대학 졸업 후 아무 경험도 없는 하얀 백지상태로 대부분 입사합니다. 하지만 일정 자격 요건 이상을 요하는 공개 채용 과정을 통과한 직원들이기에 입사 때부터 기본 직급이 주어집니다. 그러니 출발점부터가 좀 더 앞서 있다고 해야 할까요? 마치 군대로 치면 장교 출신과 하사관 출신이라고 할 수 있겠네요. 같은 군인이라 할지라도 별도의 자격 요건을 요구하는 시험 과정을 통과해 군 입대를 하면 소위라는 장교 계급이 주어집니다. 반면 일반 사병으로 군 생활을 시작한 경우에는 하사라는 직급을 부여받습니다. 장교는 이제 막 대학을 졸업하고 소위라는 직급을 부여받지만 군생활의 '군'자도 모르고, 하사는 소위보다는 낮은 계급이지만 일반 사병 시절부터 쌓아온 풍부한 경험을 가지고 있습니다.

얼핏 보면 잘 어울리기 힘들 것 같은 장교와 하사관이 함께 군 생활을 잘할 수 있는 비결은 서로에 대한 인정에 있습니다. 장교는 하사관의 풍부한 군 생활 경험과 지식을 인정하고, 하사관은 장교의 체계적 이론 학습과 장교 시험을 통과한 실력을 인정해주는 것입니다. 이처럼 서로에 대한 인정을 통해 조직은 조화롭게 운영될 수 있습니다.

회사 역시 마찬가지입니다. 일반 사원 출신 직원들은 회사가 정한 자격 요건을 갖추고 대졸 공채 시험을 통과한 이들의 노력과 실력을 인정해주어야 합니다. 반면, 별도의 자격 요건 시험을 통과하고 입사한 직원들은 일반 사원 출신 직원들의 풍부한 경험과 노하우를 인정해주어야 합니다.

나이가 많은 부하 직원의 경험과 업무 지식 그리고 사내에서 쌓아온 다양한 인적 네트워킹을 인정해주는 것이 중요합니다. 그를 인정하면 그 역시 어리지만 직급은 높은 나를 존중할 수밖에 없습니다. 사람은 누구나 자신을 인정해주는 사람에게 마음의 문을 열기 때문입니다. 특히 그만이 가진 특별한 강점이 있다면 그 강점을 찾아 적극적으로 얘기해주세요. 그 강점을 인정하고 있다는 마음을 계속 표현한다면 관계는 더 좋아질 수밖에 없습니다. 자신을 알아봐주고 인정해주는 사람에게는 호감과 매력을 갖기 마련입니다. '사위지기사자士爲知己死者'라는 말이 있습니다. 선비는 자기를 알아봐주는 사람을 위해 죽는다는 말입니다. 미국 철학자인 존 듀이John Dewey 역시 인정의 힘을 다음과 같이 강조했습니다.

'인정받고 싶은 욕구는 인간의 가장 근본적인 욕구이다. 그러므로 누구에게나 인정받고 싶은 욕구가 있다.'

세계적인 화가 빈센트 반 고흐Vincent van Gogh는 〈해바라기〉, 〈별이 빛나는 밤에〉, 〈자화상〉 등 우리에게 친숙한 미술 작품을 남겼습니다. 하지만 그는 살아생전에는 사람들로부터 인정받지 못했고, 결국 스스로 목숨을 끊고 말았습니다. 인정이란 것은 이처럼 우리가 생각하는 이상의 의미와 힘이 있습니다.

그의 실력을 인정하면 내 자신의 실력 향상에도 도움이 됩니다. 그만큼 내가 배울 수 있는 기회의 폭이 넓어지기 때문입니다. 내가 부족한 경험은 그의 경험을 활용할 수 있습니다. 경험의 축적은 시간의 힘을 빌려야 합니다. 그의 경험을 활용하는 건 시간을 버는 좋은 기회입니다. 영국의 작가 제임스 브즈웰James Bosswell은 경험을 대하는 자세에 대해서 다음과 같이 말합니다.

'사람은 경험에 비례해서가 아니라, 경험을 수용할 수 있는 능력에 비례해서 현명해진다.'

내가 가진 나만의 강점을 찾아 최대한 보여주는 노력도 필요합니다. 예를 들어 내가 업무 경험이 없긴 하지만 재무에 관련된 지식을 갖추고 있다면, 일반인이 이해하기에는 어려운 총매출, 순매출, 원가, 판매 촉진비, 인건비 등의 요소를 가지고 손익구조를 쉽게 설명할 수 있습니다. 이러한 지식을 활용하여 재무지식이 부족한 그에게 쉽게 설명해줄 수도 있습니다. 또한 이론적으로 알고 있는 마케팅 관련 지식이 있다면 관련된 팁을 공유하는 것도 강점을 보여주는 좋은 방법이 됩니다. 그에게 나도 도움이 될 수 있다는 것을 보여주는 것입니다. 나에 대한 호감과 인정을 높이는 좋은 방법이기도 하지요.

요컨대 나보다 나이 많은 부하 직원의 강점을 찾아보길 바랍니다. 강점을 찾아 적극적으로 인정해주고 나 자신의 강점도 많이 보여주는 거죠. 그러한 과정과 노력을 통해 나이 많은 부하 직원과 나이를 뛰어넘는 진정한 동료로서의 관계를 만들어나갈 수 있으리라 확신합니다.

## 18

# 대기업 다니는 친구와 비교하게 됩니다

중소기업에 다니고 있는 직장인입니다. 엄청 좋은 회사는 아니지만 그래도 큰 불만 없이 일해 왔습니다. 그런데 얼마 전 우연히 청소년 시절 친하게 지내다가 대학에 입학하면서 소식이 끊어진 친구의 인스타그램을 보게 되었습니다. 그 친구는 누구나 알 만한 대기업에 다니고 있더라고요. 솔직히 제가 지금 다니는 회사와 비교가 되면서, 많이 부러웠습니다. 그 친구와 저는 같은 고등학교를 나왔고, 둘 다 학교 성적은 중상위권으로 비슷했습니다. 그 친구가 모르는 것이 있으면 제가 알려주기도 했는데, 지금은 그 친구가 더 좋은 회사를 다니고 있고, 앞으로 삶의 격차가 점점 더 벌어질 거라 생각하니 제 인생이 뭔가 뒤쳐진 느낌이에요. 억울하기도 하고요. 그날 이후 일도 손에 안 잡히고 심란하기만 합니다. 어떻게 해야 할까요? ●

## 부러움을 부러움으로만 끝내는 어리석음

친구가 나보다 더 나은 것 같은 직장에 다니는 것 때문에 우울해지는 감정 자체는 나쁜 것이 아닙니다. 왜냐하면 그런 느낌과 감정은 말 그대로 '자연스럽게 드는 것'이지 '억지로 가지는 것'이 아니기 때문입니다. 내 차보다 더 큰 차를 타고 다니고, 내 집보다 좀 더 큰 집에 사는 사람을 보면 부러운 생각이 드는 건 자연스러운 감정입니다. 그런데도 그런 마음을 겉으로 꺼내 말하기 좀 꺼려지는 건, 왠지 열등감을 느끼는 속 좁은 인간으로 다른 사람에게 비춰질 수 있다는 것 때문이겠죠.

하지만 정말 대기업에 다니는 것만으로 더 행복할까요? 더 넓은 집과 더 좋은 차를 타고 다니면 그만큼 더 만족하는 것일까요? 아니요. 그렇지 않습니다. 누구도 100% 행복하거나 만족할 수는 없습니다. 의식적으로든 무의식적으로든 우리는 항상 자신을 남과 비교하기 때문입니다.

'나는 직장생활 10년 만에 이제 겨우 전세 대출 다 갚았는데, 저 사람은 집을 사서 결혼하다니.'

'나는 복지혜택이라고는 찾을래야 찾을 수 없는 회사에 다니는데,

저 사람은 자녀 대학 등록금까지 나오는 회사에 다니는군.'

이런 비교를 통해 남는 것은 자괴감과 열등감밖에 없습니다. 사람은 나보다 못한 처지에 있는 사람보다는 더 나아 보이는 처지에 있는 사람과 더 쉽게 비교하기 때문입니다.

수영을 배우려 수영장에 가면 능숙하고 멋진 모습으로 수영을 즐기는 사람이 많습니다. 이제 겨우 시작한 초급 자유형 단계가 보면 정말 멋지고 대단합니다. 헉헉거리지도 않고 앞으로 쭉쭉 나가는 모습을 보면 부럽기 그지없습니다. 그러면서 마음 한편으로는 이런 생각이 듭니다.

'저 사람들은 저렇게 멋지게 수영하는데 나는 겨우 7m밖에 가지 못하네. 그동안 나는 뭐하고 살았을까?'

그런데 이렇게 생각해보세요.

'어제는 7m가 한계였는데, 오늘은 드디어 10m를 넘었네!'

기분이 좋아지고 자신감도 생깁니다. 물론 수영을 멋지게 즐기는 사람들에 비하면 명함도 내밀지 못할 허접한 실력이지만 어제의 '나'와 비교했을 때는 눈부신 발전이 아닐 수 없습니다. 하면 할 수 있습니다. 생각이 중요합니다.

'남과 비교할 필요가 없다. 그냥 어제의 나와 비교해서 좋아지는 것이 정말 좋은 것이다.'

타인을 비교 대상으로 삼다 보면 끝도 한도 없습니다. 비교 대상이었던 사람을 넘어선다 해도 그보다 더 잘나 보이는 사람은 반드시 있고, 나보다 잘나 보이는 사람도 끝없이 많습니다. 그러니 타인과 비교해서는 결국 자신감보다 자괴감을 얻을 수밖에 없지요. 비교는 타인이 아닌 어제의 자신과 하는 것이 맞습니다. 일 년 전, 한 달 전, 어제보다 조금이라도 나아진 자신을 목표로 매순간을 임해야 합니다.

마찬가지로 대기업에 다니는 친구를 부러워하며 열등감을 느낄 필요는 없습니다. 친구는 친구의 회사에 다니고, 나는 내 회사에 다니고 있는 것뿐입니다. 그런데 그 친구의 회사는 좀 큰 것이고 내가 다니는 회사는 조금 작은 것뿐입니다. 나는 1년 전보다 승진도 했고, 한 달 전보다 새로운 업무를 더 능숙하게 처리할 수 있게 되었습니다. 그만큼 나는 발전하고 건강한 삶을 살고 있으면 되는 것입니다.

내가 발전하는 것이 중요하지 상관없는 남보다 내가 더 잘 되는 것이 중요하지는 않습니다. 부러움은 콜라와 같습니다. 콜라는 한잔 마시면 계속 더 먹고 싶어지는 것처럼 남을 부럽게 여기기 시작하면 자신은 점점 초라해지게 됩니다. 그러니 처음 부러운 마음이 들었을 때 이런 생각을 해보는 겁니다.

'그는 그고 나는 나다. 내가 잘되는 것이 중요하지 남보다 잘되는 것이 중요한 것은 아니다.'

고대 로마 시인 호라티우스는 시간에는 두 종류가 있다고 했습니다. '남을 부러워하다 보낸 세월'과 '바로 지금 이 순간'입니다. 남을 부러워하면서 지금 이 순간을 흘려보내기보다는 더 나은 나를 위해 최선을 다하는 '지금 이 순간'을 만들어가길 바랍니다. 어제와 달라진, 어제보다 더 나은 '나' 자신이 되기를 바랍니다.

## 19

# 동료와의
# 연봉 차이를 알고부터
# 무척 괴롭습니다

얼마 전 우연히 옆자리 동료와 연봉 차이가 나는 걸 알게 되어서 무척 괴롭습니다. 그 동료와는 스스럼없이 이런 저런 얘기를 나누는 사이다 보니, 서로 연봉을 공개하자는 제안을 했죠. 그런데 괜히 했다는 생각을 합니다. 그의 연봉이 제 연봉보다 20% 정도 더 많더라고요. 기분도 나쁘고, 많이 놀랐습니다. 그와 저는 하는 일도 비슷하고, 회사생활도 5년으로 비슷했거든요. 차이라면 그는 경력으로 입사했고, 저는 대학 졸업 후 줄곧 이곳에서만 근무해왔다는 점인데, 그게 그렇게 큰 차이인가요? 이직하지 않고 한 회사만을 다닌 것이 손해라는 생각이 듭니다. 이러다가 그 동료가 먼저 진급할지도 모른다고 생각하니 예전처럼 대하기도 힘듭니다. 제가 속이 좁은 걸까요? ●

## 연봉의 차이가
## 모든 것을 말해주지는 않아

많은 것이 돈으로 환산되고 평가받는 사회 시스템에서 내가 받는 연봉은 곧 나에 대한 가치를 말해주는 것 같은 생각이 듭니다. 더구나 연봉 차이가 능력과 실력의 차이라고 믿으면 연봉이 더 적을 경우 능력이 부족한 사람이라고 믿게 되지요.

그런데 정말 그럴까요? 연봉이 곧 능력일까요? 연봉은 많은 요소에 의해서 결정됩니다. 저는 이직할 때마다 협상을 어떻게 하느냐에 따라 비슷한 연차의 동료보다 조금 받기도, 덜 받기도 했습니다. 연봉을 정할 때는 자신이 가진 능력을 얼마나 가치 있게 봐주는지도 중요하지만 전 직장에서의 소득 수준, 새로 근무하게 될 회사에서 이미 근무하고 있는 직원들과의 형평성 문제, 새로 옮길 회사에서 필요로 하는 정도 등에 따라 많은 영향을 받습니다. 그러니 연봉 자체가 그 사람의 능력을 100% 정확히 평가하지는 않습니다.

승진도 마찬가지라고 생각합니다. 직장인에게 승진은 매우 중요한 요소 중 하나이죠. 승진을 하면 회사에서 제대로 인정받고 있다는 느낌이 들고, 반대로 승진에서 누락되면 인정받지 못한 능력 없는 사람이라는 생각에 좌절감을 느끼기도 합니다.

우리는 연봉이든 직급이든 눈에 보이는 객관적인 차이에 무의식적으로 많은 의미를 부여합니다. 말 그대로 쉽게 눈에 보이기 때문입니다. 하지만 그런 객관적 차이가 실제 주관적 차이로 동일하게 이어지지는 않습니다.

심리학에는 '차이 식별 오류Distinction bias'라는 것이 있습니다. 양적으로 측정할 수 있는 차이를 실제로 인지할 수 있는 수준보다 크게 받아들이는 심리적 오류를 말합니다.

예를 들어 볼까요? 마트에 가면 다양한 가격과 기능의 헤어드라이어가 있습니다. 그러다 보니 어떤 제품을 선택할지 망설여지죠. 제품의 사양은 이런 고민을 할 때 도움을 줍니다. A는 30,000원에 소비전력이 1,000W이고, B는 45,000원에 소비전력이 1,500W입니다. 소비전력은 곧 바람의 세기를 의미하지요. 그러니 1,500W의 헤어드라이어는 1,000W의 헤어드라이어보다 바람 세기가 1.5배 강력하다는 뜻입니다. 이걸 보고 바람 세기가 1.5배 강한 B를 구매합니다. 그러면 사용할 때 정확히 1.5배 강력한 바람의 세기를 느낄 수 있을까요? 물론 그렇지 못합니다. 숫자로 표시되는 차이를 우리가 정확히 느끼기는 어렵기 때문입니다.

TV도 마찬가지입니다. 해상도가 400픽셀Pixel인 TV와 200픽셀인 TV가 있습니다. 물론 객관적인 사양만 따지면 400픽셀 TV의 해상도가 두 배 우수하지만 실제로 TV를 볼 때는 두 배만큼 해상도가 뛰어난 것을 정확히 실감하기는 어렵습니다. 실제로 한 연구 결과에 따르면, 사람은 100픽셀이 넘어가면 그 차이를 식별해내기 어렵다고 하네요. 이처럼 숫자로 표시되는 객관적 차이에 우리는 민감한 반응을 보이지만 이런 차이가 실제 주관적인 차이로 이어지지는 않습니다.

연봉도 마찬가지입니다. 친구가 나보다 얼마나 더 많은 연봉을 받는지는 모르지만 연봉의 차이가 능력을 결정하는 것은 아닙니다. 단순히 눈에 보이는 객관적 차이에 너무 큰 의미를 둘 필요가 없습니다. 지금의 내 일을 즐기고, 매일 새롭게 목표를 향해 나아간다면 연봉 역시 자연스레 내가 만족할 수 있는 수준으로 따라올 거라 믿습니다.

## 20

# 한 번에 큰돈을 번 동료들이 너무 부럽습니다

열심히 직장생활을 한다고 자부하는데, 주변에서 부동산 재테크로 쉽게 돈을 버는 사람들을 보면 자괴감이 듭니다. 저는 꾸준히 월급을 모으는 편이에요. 겁이 많아서 아직까지 부동산을 구입해본 적이 없습니다. 집을 샀다가 집값이 떨어져서 손해를 보면 어떡하나 하는 걱정 때문이지요. 주식이나 비트코인도 마찬가지입니다. 회사에서 저 빼놓고 다 할 정도로 비트코인이 붐이었을 때도 저는 하지 않았어요. 위험해 보이는 것들은 하지 않고 주로 적금이나 적립식 펀드에 돈을 넣어 놓습니다. 그렇게 하는 것이 속이 편하기도 하고요. 그런데 같은 팀의 동료가 아파트로 큰돈을 벌었다는 사실을 알고 나서 좀 많이 허탈했습니다. 제가 수십 개월 동안 모아도 모으지 못할 큰돈을 그 친구는 한 번에 벌었으니까요. 그 친구가 얄밉기도 하고 한편으로는 많이 부러웠습니다. 사실 이 친구는 매일 보는 동료라 더 배가 아픈 것일 뿐, 한 다리만 건너면 이런 일이 많은 게 사실입니다. 그럴 때마다 제 자신이 답답하게 느껴지고 우울감에 빠집니다. ●

## 절대적 행복이 아닌 상대적 행복

우리나라에서는 오랫동안 적금보다는 부동산이나 주식이 재테크로 인식되어 왔습니다. 떼돈을 번 사람도 많지요. 노력하지 않고 쉽게 돈을 버는 사람을 보면 당연히 부러운 마음과 얄미운 마음이 동시에 들게 마련입니다. 하지만 내가 본 사실은 그 사람이 수많은 실패와 좌절 후 얻은 성공일지도 모릅니다. 겉으로 보기에는 쉬운 성공도 그 당사자는 피나는 노력을 통해 이루어낸 것일 수 있기 때문입니다. 이렇게 생각하는 이유는 딱 한 가지, 그래야 내 마음이 편해지기 때문입니다.

사람들은 기본적으로 내게 좋은 성과가 따르면 '내가 잘해서', 좋은 않은 성과가 발생하면 '주위 사람이나 환경이 따라주지 않아서'라고 생각합니다. 심리학에서는 이를 '이기적 편향Self-serving bias'으로 설명합니다. 이기적 편향이란 잘되면 내 탓, 잘못되면 네 탓으로 돌리는 심리적 경향을 말합니다. 이는 내가 아닌 다른 사람에게도 동일하게 적용됩니다. 즉 남에게 좋은 결과가 발생한다면 그것은 운이 좋았기 때문이고, 좋지 않은 결과가 발생한다면 그럴 만한 이유가 그에게 있었을 거로 생각한다는 것이죠.

부동산을 통해 큰돈을 번 사람들은 참 많습니다. 아파트 매매를 통해 억 단위의 시세 차익을 얻은 사람들도 있지요. 그런 얘기를 들었을 때는 속이 좀 많이 쓰리고 '그동안 나는 뭐 했나' 하는 자괴감까지 듭니다. 참 운도 좋다 싶지요. 그런데 나중에 알고 보면 그 사람이 부동산 중개 자격증까지 가지고 있던 나름의 부동산 관련 전문가인 경우도 있습니다. 매일 관련 정보들을 수집하고 공부하고 주말에도 모임을 갖고 연구하기도 합니다. 결국 남이 보기에는 쉬워 보이는 성공도 결코 쉽게 얻은 것은 아닙니다.

생각을 바꾸면 다르게 보입니다. 쉽게 돈을 번 것 같은 사람도 실제로는 결코 쉽게 돈을 번 것이 아니라고 말이지요. 그만큼 노력했고, 그에 따른 정당한 보상이라는 것입니다. 이렇게 생각해야 내 마음이 편안해질 수 있습니다. 다음은 지금 내가 가진 것들에 대해서 만족하는 것입니다.

> 우리는 다른 사람이 가진 것을 부러워하지만 다른 사람은 우리가 가진 것을 부러워한다.
>
> 시루스

나는 타인이 가진 것을 부러워하지만 누군가는 지금 내가 가진 것을 틀림없이 부러워하고 있습니다. 절대적으로 좋은 것, 절대적으로 행복한 것은 없습니다. 좋은 것과 행복은 상대적으로 존재할 뿐입니다.

실화를 소재로 한 영화 〈어밴던드Abandoned〉에는 통가를 향해 뉴질랜드를 떠난 네 명의 선원이 등장합니다. 그들은 대형 파도에 휩쓸려 119일 동안 바다를 표류하게 됩니다. 삶을 장담할 수 없던 어느 날, 선원 중의 한 명이었던 닉은 뒤집혀 표류하는 배 위에서 생일을 맞습니다. 동료 선원들이 그에게 깜짝 파티로 생일 축하 노래를 불러 주자 감동한 닉은 흐느끼며 얘기합니다.

"최고의 생일이야. 여기서 행복하다니 믿을 수 없군."

삶을 장담할 수 없는 표류하는 배 위였지만 그는 생애 최고의 생일을 맞았고, 큰 행복을 느낄 수 있었습니다. 더 좋은 음식을 가지고 더 많은 사람에게 더 성대한 생일 축하를 받은 적도 있었지만, 그날의 생일 축하보다 더 큰 행복을 느꼈던 생일은 없었습니다.

행복은 내가 어떤 상황에 처해 있더라도 행복하다고 느낄 수 있으면 그것이 행복입니다. 남의 것을 바라보며, 내가 불행하다고 느낄 이유는 없습니다.

행복은 공평합니다. 내가 행복하기로 마음먹으면 얼마든지 행복할 수 있기 때문입니다. 다른 사람의 좋은 일과 좋은 성과는 그 사람의 행복입니다. 그대로 인정해주면 됩니다. 그를 위해서가 아닌 나 자신을 위해서 말입니다.

# 3장

# 타인이 아닌 나를 먼저 바꾸는 삶

인정받지 못했다 해도 우울해할 필요는 없다.
누군가 당신을 인정하지 않으면 이는 단지 그들의 견해일 뿐이며
어쩌면 그들의 비합리적인 믿음에서 나온 결론일 수 있다는 점을
알아야 한다. 다른 사람의 인정 여부에 흔들릴 필요는 없다.

《아들러의 감정수업》, 게리 D. 맥케이 · 돈 딩크마이어

회사에서는 분명 더 중요한 업무가 있고 덜 중요한 업무가 있습니다. 직업에 귀천貴賤이 없다고는 하지만 현실에서는 모든 직업이 동일하게 귀하고 동일하게 천하지 않은 것처럼 말입니다. 그러다 보니 누구나 이왕이면 회사에서 중요한 업무를 하고 싶어 하겠지요. 그것이 자신을 더욱 돋보이게 하고 쉽게 인정받는 방법이기 때문입니다.

저 역시 마찬가지였습니다. 오전 9시부터 오후 6시까지 정해진 근무 시간 속에서 이왕이면 중요한 업무를 하고 싶었습니다. 중요한 브랜드를 담당하고, 핵심 팀을 이끌며, 비중 있는 사람들과 만나고 싶었습니다. 그래야 제 자신이 중요한 사람이 된 것 같았기 때문입니다. 하지만 시간이 흐르면서 그것이 내 안의 자존감을 외부에 맡겨버리는 생각임을 깨달았습니다.

'내가 하는 업무가 나의 중요도를 결정하는 것인가?'

이런 생각이 들자, 어느 순간 허무함과 자괴감이 밀려왔습니다. '나'에 대한 진정한 평가는 '나만'이 할 수 있는 것이라 믿고 싶었습니다. 그 이후로는 하는 일과 '나'를 분리시키는 작업을 했습니다. 중요한 업무를 찾는 게 아니라 스스로 중요한 사람이 되기로 결심한 것입니다.

무슨 일이든 중요한 일인 것처럼 세심한 주의를 기울이고 할 수 있는 최선을 다했습니다. 그렇게 하다 보니 '진짜 중요하게 생각되는 업무'들을 하는 기회도 만났습니다. 그리고 저는 결국 업무와 상관없이 '중요한 사람'이 될 수 있었습니다. 제 스스로 인정했기 때문이지요. 중요한 업무를 하는 중요하지 않은 사람보다는 중요하지 않은 업무를 하는 중요한 사람이 되는 것이 낫습니다. 그리고 중요한 사람은 중요하지 않은 업무도 중요한 업무로 바꾸어 합니다.

직장생활을 하면서 일과 관련해 여러 심리적 불편감들을 겪을 수 있습니다. '내가' 겪지 않기를 바란다고 해서 일어나지 않는 일은 없습니다. 어차피 발생할 일은 발생합니다. 감당할 수 없는 업무량 때문에 스트레스도 받고, 일을 더 잘 해내기 위한 열정과 실제 처한 현실 사이에서 괴로움을 느낄 수도 있습니다. 이런 고민들을 해결하려면 때론 당당히 '아니오'라고 외칠 수 있는 용기도 필요합니다. 업무로 인한 심리적 불편감을 해결할 수 있는 정답은 없습니다. 하지만 직장인으로서 할 수 있는 최선의 노력이 무엇인지는 말할 수 있습니다.

일을 잘하고 싶은 욕구가 있다면 가장 먼저 '일을 잘한다는 것'에 대한 정의를 내려야 합니다. 물론 일을 잘한다는 것도 정확한 정의는 없습니다. 누군가에게는 빠른 일처리가 일을 잘하는 것일 수 있고, 또 다른 누군가에게는 조금 늦게 처리하더라도 정확성 있는 일처리가 일을 잘하는 것일 수 있습니다. 또 다른 상황에서는 한 번에 하나의 일을 처리하는 것이 일을 잘하는 것일 수 있지만, 다른 상황에서는 한 번에 여러 개의 일을 동시에 끝내는 것이 잘하는 것일 수 있습니다. 그러므로 일을 잘한다는 자신의 기준을 정해야 합니다. 그리고 그 기준을 자신에게 맞출 건인지 타인에게 맞출 것인지 결정하는 것도 중요합니다.

기준은 내가 정하는 것이 좋습니다. 왜냐하면 일을 잘한다는 평가 기준을 남에게 맡겨 버리면 평가하는 사람에 따라 나는 일을 잘하는 사람이 될 수도, 못하는 사람이 될 수도 있기 때문입니다. 진주는 누가 봐도 진주입니다. 보는 사람에 따라 진주로 평가되기도 하고 조개로 평가되기도 한다면 진정한 진주가 아니지요. 마찬가지로 내가 진주가 되기 위한 조건을 정의하고 그 조건을 충족시키기 위한 나만의 기준이 필요합니다.

## 21

# 일이
# 너무 많아서
# 우울합니다

6년차 직장인입니다. 요즘 일이 너무 많아서 이직을 고려하고 있습니다. 한 가지 일을 하고 있으면, 두 가지 일이 밀려옵니다. 일이 쌓이는 속도를 제가 따라가지 못합니다. 정말 하루 종일 일만 하다가 퇴근을 하는 경우도 많습니다. 잠시 편하게 화장실 다녀올 새도 없어요. 동료들과 편하게 말 한마디 못 하고 일만 하다 보니, 제가 마치 일하는 로봇 같습니다.

지금 저는 많이 지쳐 있습니다. 우울하고 제 자신이 고갈되고 마모된 것 같은 기분이 계속 들어요. 아무래도 회사를 옮겨야 할까요? 그러면 우울한 것도 좀 나아질까요?

## 업무량 자체를 줄이는 것이 더 중요해

회사를 옮길 생각이 들 정도로 일이 많다면 우울할 수밖에 없을 것 같네요. 죽어라 열심히 하는데도 마무리되는 일보다 쌓이는 일의 속도가 더 빠르니 지치는 건 당연하지요. 마치 삽으로 흙을 퍼내는 속도보다 구덩이 안으로 흙이 밀려들어오는 속도가 더 빠른 것처럼 말예요.

생각해보니 저도 업무 구덩이 속에 파묻혀 지내던 적이 있었습니다. 하루 종일 일만 하는데도 오히려 더 쌓이는 느낌, 정말 갑갑하고 허무했습니다. 스스로 능력을 의심하기도 했지요. 그러다 보면 어느덧 퇴근 시간이 됩니다.

'나 오늘 뭐 한 거지?'

정신없이 일에 매달렸지만 제대로 끝낸 일은 하나도 없는 것 같고 야근까지 해가며 끝내보려 하지만 역부족입니다. 남은 일을 뒤로 하고 떨어지지 않는 발걸음을 옮기지만 사실 퇴근이라기보다는 집에 가서 잠시 휴식을 취하고 나온다는 표현이 더 정확합니다. 하지만 그 짧은 동안에도 머릿속에는 마치지 못한 일들이 계속 맴돕니다. 이런 생활을 약 6개월 정도 계속했던 적이 있어요. 어느 순간 정말 모든 것을 포기하고 싶었습니다.

'어떻게 하면 이 업무 지옥을 탈출할 수 있을까? 내 능력이 문제일까? 일을 어떻게 하면 더 빨리 끝낼 수 있을까?'

많은 고민 끝에 제가 찾은 답은 업무의 인풋Input 자체를 줄이는 거였습니다. 아무리 일 처리 속도를 높여도 업무량 자체가 줄지 않으면 밑 빠진 독에 물 붓기라고 판단을 했습니다. 그래서 업무 가운데 불필요한 업무들을 솎아 내는 작업을 했습니다. 즉 '안 해도 되는 업무'는 하지 않기로 한 거죠.

제가 4주 만에 몸무게를 약 8kg 가까이 뺀 적이 있어요. 단기간에 많은 몸무게를 감량을 할 수 있었던 비결은 바로 음식량 조절이었습니다. 아무리 열심히 운동을 해도 운동만으로는 살을 빼는 데는 한계가 있습니다. 결국 먹는 양을 기존의 1/3로 과감히 줄였습니다. 처음에는 배가 너무 고팠습니다. 배고픔을 참는 게 그렇게 힘든지 정말 몰랐습니다. 하지만 시간이 지날수록 점차 위가 적응해갔습니다. 위가 적응한 만큼 몸무게도 줄어갔고요. 그때 깨달았습니다. 결국 '인풋'을 줄이는 것만큼 가장 확실하게 '아웃풋Output'을 줄이는 방법은 없다는 것을요.

우리가 하는 일도 마찬가지입니다. 일을 효율적으로 잘 해내는 것도 중요하지만 절대 업무량 자체를 줄이는 것도 중요합니다. 당연히 내가 줄일 수 없는 업무가 있고 줄일 수 있는 업무가 있습니다. 먼저 그것을 선별해야 합니다. 줄일 수 없는 업무는 내가 하지 않으면 아무도 할 수 없는 일입니다. 예를 들어 나만이 가진 전문적 업무 지식이나 경험이 필요한 일입니다. 이러한 업무는 줄이기 어렵죠.

반면 줄일 수 있는 일은 해도 그만 안 해도 그만인, 남들은 관심이 없는데 나 혼자 열중하는 일, 좀 더 간단히 할 수 있는데 옛날 방식만을 고수하여 더 느리게 하는 일, 더 빨리 끝낼 수 있는데 습관적으로 질질 끌고 있는 일입니다. 자신이 하는 일 중에 이런 일은 없는지 잘 살펴보세요. 찾아냈다면, 오늘 당장 그만두거나 간단히 처리하기를 바랍니다.

업무를 줄이는 또 한 가지 효과적인 방법은, 부탁할 땐 부탁하고 거절할 땐 거절하기입니다. 동료에게 부탁해야 하는 일인데, 그가 무척 바빠 보여 부탁을 포기한 적은 없나요? 동료에게 부탁했다면 금방 처리할 수도 있는 일을요. 부탁만 잘해도 일은 확 줄어듭니다. 혼자 한다면 몇 시간이 필요하지만 전문가인 동료는 잠깐 사이에 끝낼 수도 있기 때문입니다. 부탁하기가 망설여지더라도 필요한 상황에서는 무조건 부탁해야 합니다. 사람은 저마다 잘하는 게 다르잖아요.

거절도 마찬가지입니다. 물론 내 상황이 여유 있고 쉽게 할 수 있는 일이라면 부탁을 들어주는 게 맞습니다. 그런데 '거절 자체'가 어려워 '내 코가 석자인' 상황에도 부탁을 들어준다면 서로 후회만 남습니다. 나부터 살아야 다른 사람을 도와줄 수 있는 여유가 생깁니다.

> 남에게 구속되지 말자. 변명을 늘어놓지 말고 미소 지으면서 거절할 줄 아는 용기가 있어야 한다. 아무도 우리를 휘두를 수는 없다. 우리를 움직일 사람은 우리 자신뿐이다.
>
> 《심플하게 산다》, 도미니크 로로

거절에도 용기가 필요합니다. 거절해야 한다면 당당히 거절하세요. 부탁 한 번 거절하는 것으로 사람을 평가하는 사람이라면 이번 기회에 과감히 관계를 정리해도 괜찮습니다. 무조건 상대방의 부탁을 들어줘야 한다고 생각할 필요는 없습니다.

또 다른 중요한 것은 일을 대하는 마음입니다. 일이 너무 많으면 힘들고 괴롭습니다. 그렇다고 일이 너무 없는 상황이 한없이 편한 것도 아닙니다. 일이 너무 바빠서 정신 못 차리고 있을 때는 어김없이 생각합니다. '진짜 일 없는 곳에서 근무하고 싶다.' 그런데 막상 일이 없는 곳으로 보직 발령이 나서 생활하다 보면 이런 생각이 듭니다. '너무 무료하다.'

일이 없으면 시간도 잘 가지 않습니다. 10분 단위로 시계를 보며 퇴근 시간만 기다리곤 합니다. 어찌 보면 일이 없는 게 더 고역일 수도 있습니다.

어떤 사람이 죽어서 염라대왕 앞으로 가게 되었다. 그 길에 멋진 궁전을 하나 보았다. 그 궁전에 다가가니 궁전의 주인이 말했다. "잠시 머물다 가시겠습니까?" 그러자 그 사람이 대답했다. "전 이승에서 허리가 휘도록 일만 했습니다. 일이라면 지긋지긋해요" 그러자 궁전 주인이 대답했다. "그렇다면 당신이 살기에 이곳만큼 적합한 곳은 없겠군요. 먹고 싶은 것을 마음껏 먹고, 자고 싶은 만큼 실컷 잘 수 있습니다. 또한 일도 할 필요가 없습니다." 그리하여 그는 그곳에서의 편안한 삶을 시작했다. 그런데 시간이 지나자 무료함을 느꼈다. 그래서 주인에게 일이 없는지 물어보았다. 그러자 궁전 주인이 대답했다. "죄송합니다. 이곳에는 할 일이 없습니다." 그 후 몇 달이 더 지나갔다. 도저히 참을 수 없어 다시 찾아갔다. "이젠 도저히 못 견디겠습니다. 제발 일을 주세요. 차라리 지옥에 보내주세요!" 그러자 궁전 주인이 웃으며 대답했다. "여기가 천국이라고 생각합니까? 이곳이 바로 지옥입니다."

《좋은 습관은 배신하지 않는다》, 거둬

물론 일이 없는 상태의 극단적인 무료함을 보여주는 이야기입니다. 그래도 너무 힘들 때면 이런 이야기가 마음을 다잡는데 도움이 될지도 모르겠네요. 가장 좋은 것은 적절한 양의 일과 적절한 휴식 사이의 균형을 찾는 일이겠지요. 쉽지는 않겠지만 꾸준히 노력하고 찾는다면 찾을 수 있을 거라 생각합니다.

## 22

# 밤낮이
# 뒤바뀐 일이
# 너무 괴롭습니다

최근에 과중한 업무와 스트레스로 우울증을 앓다가 극단적인 선택을 한 경찰관에 관한 기사를 보았습니다. 그 기사를 보고 저도 모르게 눈물이 나왔습니다. 너무 공감이 가서요. 얼마나 힘들고 괴로웠으면 그런 극단적 선택을 했을까 마음이 너무 아팠습니다. 저는 경찰관은 아니지만, 3교대 근무를 하는 대기업 생산직 근로자입니다. 남들 자는 시간에 일할 때도 있고, 남들 일하는 시간에 자야 할 때도 있습니다. 그러다 보니 생활이 불규칙하고 그만큼 신체 리듬도 불규칙합니다. 5년째 이곳에서 근무 중인데, 연봉은 제 또래 친구들보다 높은 편이지만, 지금 생활이 행복하지 않습니다. 이런 저를 보고 누군가는 배부른 투정한다고 할 수도 있습니다. 압니다. 그런데 날이 갈수록 제 몸과 마음이 피폐해져 간다는 것을 실감할 수 있습니다.

고등학교나 대학교 친구 모임에 한 번 참석하려면 시간을 맞추기 어려워 큰마음 먹고 연차를 내야 합니다. 모임에 잘 참석하지 못하니까 친구들과도 멀어졌어요. 게다가 연애는 꿈도 못꿉니다. 퇴사에 대해 부모님께 넌지시 말씀드렸더니 큰일 날 소리 하지 말라며 진득하게 계속 회사에 다니라고 하네요. 하지만 서른 중반도 되지 않은 이 나이에 이렇게 산다는 건 너무 불행하다는 생각이 듭니다. 그리고 재미도 없는 일을 평생 한다고 생각하면 가슴이 먹먹해집니다. 저도 행복하게 살고 싶은데 어떻게 하면 좋을까요? ●

## 뒤바뀐 밤낮 속에서 삶의 목표 찾기

서른 중반은 한창 열심히 일하고 한창 사랑할 나이입니다. 그런데 남들과는 다른 시간에 일하다 보면 생활의 즐거움이 없어 힘들 수 있겠네요. 3교대까지는 아니지만 저도 5년 정도 스케줄에 따라 근무한 적이 있습니다. 스케줄에 따른 근무란 딱 정해지지 않고, 말 그대로 한 달에 한 번씩 정해진 스케줄에 따라 바꿔 근무하는 형태를 말합니다. 일반적으로 많은 사람이 월요일부터 금요일, 오전 9시부터 오후 6시까지 근무하고 주말과

공휴일에 쉽니다. 하지만 스케줄 근무는 그런 정해진 규칙과 상관없이 스케줄이 어떻게 잡히느냐에 따라 주중에 쉬고 주말에 근무하기도 합니다. 주로 휴무일이 거의 없이 매장이 운영되는 백화점, 대형할인점, 호텔, 리조트, 면세점 등 유통업에 많이 적용되는 근무 형태입니다.

그렇게 근무하는 내내 어려움이 많았습니다. 가장 불편했던 점은 사람들과의 만남이었지요. 특히 아이들과 시간을 많이 보내고 싶었는데, 그게 쉽지 않았습니다. 가족이 쉬는 날과 제가 쉬는 날이 달랐기 때문이죠. 제가 주중에 쉴 때는 아내는 직장으로 큰아이는 학교로, 둘째 아이는 어린이집으로 향했고, 가족이 모두 집에 있는 주말에는 제가 직장에 나가는 경우가 많았습니다. 어쩌다 주말에 쉴 때면 녹초가 되어 가족과 잘 어울리지 못했습니다. 그래서 항상 가족에게 미안했습니다.

규칙적이지 않은 근무시간도 힘들었습니다. 스케줄 근무를 하다 보면 어떤 날은 아침 6시 반까지 출근하기도 하고, 어떤 날은 오후 12시 반까지 출근하기도 합니다. 일찍 출근하는 날은 너무 일찍 퇴근하고, 늦게 출근하는 날은 너무 늦게 퇴근해서 가족들이 잠든 얼굴밖에 볼 수가 없었습니다. 남들처럼 아침에 출근하고 저녁에 퇴근하고 싶었습니다. 주중에 일하고 휴일에 쉬는, 남들에게는 당연한 것이 저에게는 결코 당연하지 않았습니다. 그게 그렇게 부러웠습니다.

남들 일할 때 자고 남들 잘 때 일하는 삶은 결코 쉽지 않았습니다. 신체적으로 힘든 것은 물론이고 인간관계를 유지해 나가기도 힘들죠. 누군가를 한 번 만나려면 잠을 포기해야 하기도 합니다. 그러다 보니 남들과 같은 생활을 하려고 이직을 생각합니다. 이런 나를 위로해주지 않고 참고 견디라고만 하는 부모님의 말씀에 섭섭함을 느낄 수밖에 없지요.

부모님은 내가 얼마나 힘든지 세세하게 모르죠. 돈은 안정되게 벌어서 좋은데 마음과 몸은 안정되지 못합니다. 사람을 만나지 못해 점점 홀로 고립되는 것 같은 느낌도 드는 것 같고, 연애도 하고 싶은데 시간이 돼야 연애를 하든 말든 하지요.

자, 그럼 어떻게 하면 좋을까요? 일단 가장 중요하게 생각하는 인생의 목표와 가치를 설정해봅시다. 아들러는 목표의 중요성에 대해서 다음과 같이 얘기합니다.

> 인간의 정신생활은 그의 목표에 의해 결정된다. 인간에게 목표가 없다면 아무도 생각하고, 느끼고, 원하고, 심지어 꿈도 꿀 수 없을 것이다.
>
> 《아들러의 인간이해》, 알프레드 아들러

아들러는 모든 인간의 정신 현상이 하나의 목표를 지향하고 있는 것으로 간주합니다. 이에 따르면 내가 느끼는 괴로움, 힘겨움, 허무함은 아마도 지금 내가 하는 일이 이루려는 목표와 잘 맞지 않기 때문에 느껴지는 신호일 수 있습니다. 즉 내 삶의 목표가 무엇인지를 분명히 안다면 그리고 지금 하는 일이 그 목표 성취에 도움이 된다는 확신이 있다면 다르게 느낄 수 있다는 의미입니다. 즉 어떤 일을 하느냐 그 자체보다 그 일이 추구하는 삶의 목표와 연관되어 있는지가 더욱 중요한 것입니다.

심리학자 에이브러햄 매슬로우Abraham H. Maslow는 인간의 욕구를 5단계로 설명합니다.

자아실현의
욕구

존중의 욕구

소속·애정의 욕구

안전의 욕구

생리적 욕구

5단계는 생리적 욕구, 안전의 욕구, 소속 · 애정의 욕구, 존중의 욕구 및 자아실현의 욕구로 가장 상위에 자아실현의 욕구가 있습니다. 매슬로우는 자아실현의 욕구는 나머지 4개의 욕구가 모두 실현된 이후에 작동하고 실현될 수 있다고 하였습니다. 그만큼 인간이 궁극적으로 추구하는 욕구이자 추구해야 할 가치라고 본 것이죠. 자아실현을 하려면 우선 자신이 추구하는 삶의 가치를 찾아야 합니다. 자신의 일에 대한 성공일 수도 있고, 타인에 대한 헌신일 수도 있습니다. 좀 더 넓게는 환경 보존이나 인류 평화가 추구하는 가치일 수도 있겠죠. 어떤 가치를 추구하느냐에 정답은 없습니다. 내가 바라고 중요하다고 생각하는 가치가 바로 정답입니다. 그 가치는 다른 이가 평가하고 대신 선택해줄 수 없습니다.

가치를 정하는 과정은 결코 쉽지 않습니다. 하지만 매우 중요하고 꼭 필요한 과정입니다. 약간 어렵더라도 인내심을 가지고 삶에서 추구하는 가치를 꼭 찾아내기 바랍니다. 가치를 찾아야 인생의 목표도 정할 수 있습니다.

목표는 내가 추구하는 가치를 이룰 수 있게 하는 좀 더 구체화된 대상입니다. 예를 들어 제가 추구하는 삶의 가치는 '최대한 많은 사람이 행복을 누리며 사는 것'입니다. 돈이 많던 적던,

사회적 지위가 높던 낮던, 나이가 많건 적건, 능력이 뛰어나건 그렇지 않건 최대한 많은 사람이 행복을 누릴 수 있도록 돕는 것입니다. 그 생각만으로도 저는 행복감을 느끼고 힘이 납니다. 그 가치를 이루기 위해 저는 '마음이 힘든 사람들을 돕는 것'을 목표로 삼았습니다. 특히 제가 경험했던 회사생활과 상담심리 지식을 접목시켜 이러한 목표를 잡았습니다. 저는 지금 하는 일이 저의 목표와 일치합니다. 그래서 스트레스 받고 힘들 때도 많지만 보람을 느끼고 행복을 느낄 때도 많습니다.

살면서 가장 중요하게 생각하는 가치를 찾아보세요. 일의 성공, 가족에 대한 사랑, 타인에 대한 도움, 인류에 대한 헌신 등 가장 중요하게 생각하는 가치를 찾아야 인생의 목표를 정할 수 있습니다.

만약 '일에서의 성공'이 내가 추구하는 가치라면 하고 있는 분야에서 전문가 되기, 사회적 지위와 명성 얻기, 남들이 인정하는 업적 남기기 등이 인생의 목표가 될 수 있습니다. 즉 목표는 가장 중요하다고 생각하는 가치를 실현하기 위한 구체적 그림입니다.

인생에는 목표가 있어야 합니다. 목표가 없는 인생은 목적지가 없는 배에 탄 것과 같습니다. 목적지가 없는 배는 '항해' 하는 것이 아니라 '표류'하는 것이죠. 어디로 가든 상관없습니다. 그냥 어디로만 가면 됩니다. 목적지가 없으니까요. 목적지가 없으니 당장은 모든 것이 평화로워 보이지만 그런 생활이 하루, 이틀, 한 달 그리고 일 년이 지나다 보면 허무함이 손짓하기 시작할 것입니다. 허무함과 악수하며 그의 다른 친구인 외로움, 상실감을 소개받습니다. 내 인생에서 반갑지 않은 이런 친구들을 만나지 않으려면 목적지가 뚜렷한 여행을 해야 합니다. 가고 싶은 곳, 느끼고 싶은 곳, 있고 싶은 곳을 찾아야 합니다. 내 인생에서 목표를 찾으세요.

목표를 찾았다면 지금 하는 일이 과연 목표에 도움이 되는 일인가를 따져보세요. 내가 찾아야 하는 가치는 없습니다. 찾고 싶은 가치만 있을 뿐이죠. 먼저 나의 가치와 목표를 정하고 현재 그 일이 잘 부합하는지를 따져보기 바랍니다. 그다음 이직을 판단해도 늦지 않습니다.

## 23

# 괜히 엄한 동료, 남편에게 짜증을 냅니다

저는 업무스트레스와 가사스트레스 때문에 스트레스성 불면증을 겪고 있는 워킹맘입니다. 새벽에 두세 번은 깨고 작은 소리에도 예민해집니다. 이런 식으로 지낸 지 한 달 정도 된 것 같습니다. 쉽게 짜증이 나서 이유 없이 직장 동료나 남편에게 벌컥 화를 내기도 합니다. 또 화가 나면 뭐라도 먹어야 마음이 편해져 폭식 습관도 생겼습니다. 불면증 때문에 밤에 잠을 못 자다 보니, 낮에는 피곤합니다. 피곤한 상태가 반복되어서인지 일상생활이 완전 엉망이 되는 것 같습니다. 이런 저를 보고 친구는 분노조절장애가 될 수 있다고 걱정하더군요. 어떻게 하면 좋을까요? ●

## 화를 내는
## 나도 모르는 이유

몸은 하나인데 엄마로서 아내로서 직장인으로서 동시에 살아가는 건 정말 힘든 일이지요. 이 시대는 워킹맘들에게 참 많은 역할을 맡깁니다. 그러니 그에 따른 스트레스는 정말 상상을 초월하지요. 새벽에 잠도 못 잘 정도로 힘이 들 수밖에 없습니다.

제 아이들은 올해 7살, 3살로 한창 손이 갈 때입니다. 그래서인지 가끔은 집보다 회사가 더 편할 때가 있습니다. 회사에서는 적어도 애들을 보살피지는 않으니까요. 집에서는 쉬는 게 아닐 때가 더 많습니다. 아이들과 놀아주기, 목욕 시키기, 숙제 봐주기, 집안 청소하기, 빨래 널기, 쓰레기 분리수거, 신발 정리, 잡동사니 버리기, 공과금 정리 및 납부하기, 전등 갈기, 침대 위치 바꾸기 등 정말 아빠와 남편으로서 해야 할 일이 끝도 없습니다. 그래서 언제부터인가 회사에 있을 때는 못 느끼던 스트레스를 집에서 느끼기 시작했습니다.

아빠인 저도 이 정도인데, 워킹맘들은 훨씬 더 힘들 거예요. 아무래도 아이들은 아빠보다는 엄마를 더 찾으니까요. 엄마는 퇴근 후에 집에 가는 것이 쉬러 가는 게 아니라 엄마로서 아내로서 근무해야 하는 또 다른 직장이 됩니다. 이 고된 현실에서 벗어날 수 있는 방법은 없을까요?

가장 중요한 첫 번째는 분노를 느끼는 상황에서 분노를 있는 그대로 인정하는 것입니다. '아 내가 화를 내고 있구나. 내가 지금 앞에 있는 사람에게 화를 내고 있구나.' 나의 감정을 한 발짝 물러서서 바라보며 자각하는 것입니다. 심리학에는 '벽에 붙은 파리 효과Fly on the wall effect'라는 이론이 있습니다. 자신의 감정이나 행동을 제3자의 관점에서 관찰하는 것이지요. 그럼 격한 감정이 좀 안정된 상태를 되찾을 수 있습니다. 그렇게 함으로써 나중에 후회할 수도 있는 말이나 행동을 자제할 수 있게 됩니다.

그다음 중요한 것은 내가 느낀 분노라는 감정의 목적에 대해 생각해보는 것입니다. 모든 분노감에는 그 목적이 있기 때문입니다.

> 모든 감정은 저마다의 목적을 가지고 있으며 사람은 그 목적을 성취하기 위해 그 감정을 선택하고 사용한다. (중략) 결론부터 말하자면 분노는 통제 욕구 충족, 승리 열정 고취, 상대에 대한 복수 그리고 자신 권리 보호 등의 목적을 가지고 있다.
>
> 《아들러의 감정수업》, 게리 D. 맥케이 · 돈 딩크마이어

분노를 느낄 때는 그 분노감을 왜 느끼는지 생각해야 합니다. 분노를 통해서 얻으려는 게 무엇인지 말이죠. 단순히 화를 내기 위함인지, 내가 원하는 대로 상대방을 조정하기 위함인지, 상대를 이겼다는 기쁨을 맛보기 위한 것인지 또는 상대를 곤경에 빠뜨리거나 스스로를 보호하기 위한 목적인지 알아야 합니다.

또한 내가 분노를 표현하는 상대가 내가 정말 분노를 표현하고 싶은 상대가 맞는지도 생각해봐야 합니다. 심리학자 프로이트는 사람들이 자신의 불안한 심리 수준을 낮추기 위해 방어기제Defense mechanism를 사용한다고 했습니다. 자신의 불안한 마음을 달래기 위해 사용하는 심리적 방어 기술을 방어기제라고 하는데, 이러한 방어기제 중 대표적인 것이 바로 '대치Displacement'입니다. 대치는 자신의 감정이나 욕구를 상대방에게 직접 표출하지 않고 상대적으로 위험과 부담이 덜한 제3자에게 대신 표출하는 것을 말합니다. 이러한 과정을 통해 자신의 욕구와 스트레스를 배출하는 것이지요. 그러니 화가 날 때는 육아, 일 등으로 쌓인 스트레스를 주위 사람에게 대신 풀고 있는 것은 아닌지 생각해볼 수 있습니다. 종로에서 뺨 맞고 한강 가서 하는 화풀이는 좋은 화풀이 방법이 아닙니다. 내 화를 풀기 위해 엄한 사람이 피해를 입어야 하기 때문이지요.

내가 화를 냈던 이유가 남편이나 직장 동료에게 있는지 곰곰이 생각해보기 바랍니다. 그렇게 하지 않으면 주위 사람들은 내가 화를 내는 이유를 모르기 때문에 황당해하다 결국 모두 떠나고 홀로 남게 될지도 모릅니다. 쓰레기 분리수거를 하듯 스트레스도 꾸준히 배출해야 합니다. 분리수거 쓰레기는 한두 주만 쌓아놓아도 양을 감당하기 힘들어지죠. 요일을 정해도 좋고, 할 일을 정해도 좋습니다. 스트레스 배출은 분리수거처럼 꾸준히 해야 쌓이지 않습니다.

아름다운 느낌, 행복한 느낌, 좋은 느낌은 되도록 많이 오래 간직하세요. 틈날 때마다 그런 느낌들을 되씹고 음미하며 자주 꺼내 즐기세요. 반면 짜증스럽고 불편하고 괴로운 생각들은 그때마다 조금씩 마음 밖으로 내다 버리기 바랍니다. 좋아하는 작가의 책을 읽어도 좋고, 감동을 줬던 영화를 다시 한 번 봐도 좋습니다. 마음 맞는 친구를 만나 수다도 떨어보고, 날이 따뜻하다면 한가로운 산책도 좋습니다. 마음에 드는 옷을 하나 사도 좋습니다. 음식을 폭식하는 대신 밖으로 나가 따뜻한 햇볕을 온몸으로 과식해보세요. 그러다 보면 조금씩 정화되는 나 자신을 느낄 수 있을 것입니다.

24

# 팀장님이 일을 시키면 겁부터 납니다

7년 차 직장인입니다. 저에게는 남들에게 말하기 힘든 고민이 하나 있습니다. 언제부터인지 모르지만 팀장님이 제게 일을 주면 덜컥 겁부터 나고 두려움이 생깁니다. 왜 그런지 저도 모르겠어요. 그렇다고 제가 일을 못하는 것은 아닙니다. 지시한 일은 대부분 잘 해냅니다. 아주 잘했다는 칭찬을 듣는 것은 아니지만 그렇다고 상사를 실망시킨 적은 거의 없습니다.

하지만 새로운 일이 떨어질 때마다 '과연 내가 잘할 수 있을까? 이번에도 욕을 안 먹고 잘 해낼 수 있을까' 하는 생각이 먼저 듭니다. 이런 제가 특별히 자신감이 없는 사람인가 하는 생각이 들기도 합니다. 저에게 무슨 문제라도 있는 것일까요? ●

## 마음속에 있는
## 비합리적인 신념 바꾸기

직장에서 팀원으로서 일을 하다 보면 상사인 팀장에게 잘 보여야 한다는 부담감은 누구에게 있을 수 있습니다. 직장인이라면 상사에게 인정받고 싶은 건 당연한 욕구이지요. 하지만 실제로 일을 끝마치고 칭찬까지 받아내기란 쉽지 않습니다. '정말 욕이나 안 먹으면 다행'이라는 생각이 들 정도지요.

많은 사람이 새로운 일을 시작할 때마다 '과연 내가 잘 해낼 수 있을까?' 하는 걱정과 불안함을 느낍니다. 새로운 뭔가를 시작할 때 너무나 당연하게 '응 난 잘할 수 있어' 하며 아무 걱정과 스트레스를 받지 않는 사람이 더 이상하죠. 그런 의미에서 지금 하는 걱정은 자연스러운 현상일 수 있습니다.

하지만 너무 자주 습관적으로 생각한다면 한 번쯤은 그 원인에 대해 생각해볼 필요는 있습니다. 왜 새로운 업무가 주어질 때마다 덜컥 겁부터 나는 것일까요? 머릿속에서 시킨 일을 제대로 수행해내지 못할지도 모른다는 생각을 무의식적으로 하는 것은 아닐까요? 일을 끝내고 난 뒤 결과물을 두고, 팀장과 동료들이 실망하게 될 상황을 두려워하는 것은 아닐까요? 물론 이런 일은 일어나지 않은 상황입니다.

무의식 속의 생각은 나조차 알아차리지 못하는 마음 속 깊은 곳에 있습니다. 업무 기회가 늘어날수록 원래는 없다고 믿는 자신의 실력이 탄로 날 수 있다고 생각하는 것일 수도 있습니다. 심리학자 아론 백Aron Beck은 인지적 왜곡과 자동적 부정적 사고에 대해서 얘기합니다. 인지적 왜곡이란 '잘못된 신념'과 '비합리적인 믿음'을 말하고, 이러한 잘못된 믿음이 특정 상황에서 자동적이고 부정적으로 튀어나오는 것을 '자동적 부정적 사고'라고 합니다. '나는 원래 실력이 없는 사람이야'라고 믿고 있다면, 그것이 바로 비합리적 믿음입니다.

'나는 원래 실력이 없는 사람이다'
(잘못된 신념)

↓

'팀장님이 시킨 일을 제대로 하지 못할 것이다'
(자동적 부정적 사고)

↓

'결국 내 실력을 팀장님과 동료들이
알게 될 것이다'

↓

'팀장님이 일을 시킬 때마다 두렵다.
피하고 싶다'

이러한 믿음은 과거 어떤 경험이나 생각에 의해 굳어져 왔을 수 있습니다. 예를 들어 실제로 팀장이 시킨 일을 제대로 하지 못해 실망감을 안겨준 일일 수 있고, 주위 동료들은 뛰어난데 나는 그렇지 못하다고 느끼는 열등감일 수도 있습니다. 칭찬을 많이 받지 못한 과거의 가정, 학교, 직장 등의 환경에서 비롯된 것일 수도 있습니다. 정확한 원인은 알 수 없지만 확실한 건 자신만의 비합리적 신념을 가지고 있다는 점입니다. 이 잘못된 신념부터 바꿔야 합니다. 이 신념을 그대로 내버려두면 새로운 일이 주어질 때마다 불안감을 느낄 수밖에 없습니다.

누구나 항상 만족할 수는 없으며 실수도 하고 자책도 합니다. 반면에 자신이 분명 잘했다고 느끼는 일도 많았을 것입니다. 그러니 스스로 실력 없는 사람이라는 생각은 그만하고 대신 자신이 잘했다고 생각하는 일, 남들에게 칭찬받았던 일, 스스로 만족했던 일들을 떠올려 보세요. 잘했던 일들을 많이 되새길수록 자신감 역시 올라갑니다.

사람은 누구나 잘하는 분야가 있습니다. 모든 분야를 다 잘할 수 없는 것처럼 모든 업무를 잘할 수는 없습니다. 잘못된 신념은 다음과 같이 바꿔야 합니다.

'모든 사람은 저마다 잘하는 분야가 있다.
나도 잘하는 분야가 있다'
(합리적 신념)

↓

'내가 잘하는 분야의 일을 시키면 그 누구보다
잘 해낼 자신이 있다'
(긍정적 사고)

↓

'만약 내가 취약한 분야라면
그만큼 노력하면 된다'

↓

'팀장님이 어떤 일을
시킬지 기대된다'

이것이 바로 자신감의 선순환 구조입니다. 스스로 믿는 자신감이 실제로 일을 더 잘 수행하도록 합니다. 그렇게 성공적으로 수행한 일은 다시 나에게 더 큰 자신감을 줍니다. 선순환 구조의 시작은 스스로 긍정적인 신념을 제공하는 것입니다. 지금 당장 '나는 능력 있는 사람이다'라는 신념을 뒷받침해줄 기분 좋은 경험들을 떠올려 보기 바랍니다.

미국의 대통령이었던 프랭클린 루즈벨트가 했던 말이 생각나네요.

"우리가 두려워해야 할 것은 두려움 그 자체다."

정말 공감되는 말입니다. 우리가 떠올리는 두려움들은 사실 우리의 뇌가 상상하고 만들어낸 생각의 산물입니다. 물론 우리가 두려워하고 걱정했던 것이 실제로 똑같이 발생하는 경우도 있습니다. 하지만 막상 지나고 보면 생각보다 별 것 아니었던 경우도 많았습니다. 그럴 때마다 '괜히 걱정했네'라는 생각이 들지요. 이와 비슷하게 떠오르는 티베트 속담도 있네요.

'걱정을 해서 걱정이 없어지면 걱정이 없겠네.'

처음 이 말을 들었을 때는 웃음이 났습니다. 뭐 이런 말이 다 있나 하고요. 무슨 말장난 같기도 했습니다. 하지만 곰곰이 생각해보니 정말 맞는 말이었습니다. 아무리 걱정한다고 해서 미래에 일어날 일이 안 일어나지는 않습니다. 열심히 걱정하고 불안해하는 만큼 미래의 걱정스런 일이 줄어들지도 않습니다. 지금 할 수 있는 최선의 방법은 걱정되는 일에 대해 최대한 대비하고 준비하는 것뿐입니다. 불합격이 걱정되는 시험이 있다면 더 많이 노력해 시험 준비를 하는 것이고, 내 마음을 받아주지 않는 이성이 있다면 더 많은 진심을 담아 고백해보는 것입니다. 시험에 떨어지는 상황을 상상해서 스스로 불안을 자초하거나 이성이 자신을 매몰차게 거절하는 상황을 떠올리며 처음부터 겁먹을 필요는 전혀 없습니다.

오히려 '나는 잘 해낼 것이다'라며 스스로 용기를 먼저 다지는 것이 중요합니다. 자신감이 생겨야 실제로도 최선을 다할 수 있습니다. 자신감 있는 생각과 행동이 실제로도 좋은 결과를 냅니다. 무슨 일이건 일이 주어지면 '나는 잘 해낼 수 있어'라고 생각하기 바랍니다. 스스로에게 자신감 부여하는 것이 목표 달성 선순환 구조의 첫 번째 고리입니다. 그리고 실제로 많이 노력하세요. 그러면 결국 잘 해낼 수 있습니다.

## 25

# 성공하고 싶지만
# 마음의 여유도
# 가지고 싶습니다

기획 파트에서 근무하는 4년 차 직장인입니다. 저는 일을 잘하는 사람이 되고 싶습니다. 능력 있는 사람이 되어서 승진도 하고 싶고 연봉도 더 많이 받고 싶습니다. 그래서 남들보다 더 일찍 출근하고 더 늦게 퇴근합니다. 동료들은 이런 저에게 '에너자이너'라는 별명을 붙여주었습니다. 그런데 그렇게 달리다 보니, 하나라도 제 뜻대로 일이 풀리지 않으면 안절부절못하고, 저도 모르게 손톱을 물어뜯고 머리털을 뽑기도 합니다. 속으로 제 자신에게 화가 나 자책도 하고 괴롭히기까지 합니다. '한심하다. 이것밖에 안 되는 놈이야?' 이렇게 말이죠. 하루는 팀장님이 제게 차 한잔하자고 하더니, 손톱을 물어뜯고 머리털을 뽑는 버릇에 대해 얘기하더군요. 사실 팀장님이 얘기하기 전까지는 저에게 그런 버릇이 있는지 잘 몰랐습니다. 마음의 여유를 가지고 일하면 더 좋을 것 같다고 조언해주었는데, 그 말에는 동의합니다. 그런데 어떻게 하면 마음의 여유를 가질 수 있는지 아무리 생각해도 그 방법은 모르겠습니다. ●

## 미래의 나를 위해 지금의 나를 희생하지 않기

직장인이라면 누구나 일 잘하는 능력 있는 사람이 되고 싶어 합니다. 능력 있는 사람으로 평가받는 건 나쁘지 않죠. 남들보다 더 많이 노력한다는 건 나쁠 것이 없습니다. 하지만 자신도 모르게 손톱을 물어뜯고 머리털을 뽑는다면 무언가 초조하게 만드는 게 있다는 뜻입니다.

왜 능력 있고 일 잘하는 직장인이 되고 싶을까요? 당연해 보이는 소망일지도 모르지만 개개인마다 추구하는 소망의 목적은 다를 수 있습니다. 능력 있다는 평가를 받으려는 이유가 타인으로부터 인정을 받고 싶어서인지 아니면 스스로의 만족감을 위해서인지, 그것도 아닌 다른 무엇 때문인지 자신과 깊은 대화를 나누어봐야 합니다.

일 잘한다는 얘기를 남에게 들으면 기분이 좋아지고 성취감을 느낄 수 있습니다. 그 성취감을 계속 느끼고 유지하기 위해 더 자주 많은 사람에게 일 잘한다는 얘기를 듣고 싶어 할 수도 있습니다. 그러려면 자신을 가만히 내버려두지 못하죠.

이는 평가의 주체가 나 자신이 아닌 타인이기 때문입니다. 평가의 주체를 나로 바꿔보세요. 나를 가장 잘 아는 사람은 바로 나 자신입니다. 가장 잘 아는 사람이 가장 정확한 평가도 내릴 수 있지 않을까요? 나를 모르는 사람은 나에 대해 정확한 평가를 내릴 수 없습니다. 그러니 타인의 평가에 너무 흔들리지 마세요. 스스로 자신을 인정해야 진정한 보람과 뿌듯함을 얻을 수 있습니다.

일을 잘해야 하는 이유가 돈을 더 많이 벌기 위해서일 수도 있습니다. 빨리 성공해서 경제적으로 넉넉해진 후에 내가 정말로 원하는 일을 하고 싶어서일 수도 있습니다. 소망의 근본적 이유에 대한 답은 스스로 찾아야 합니다.

어떤 답을 찾더라도 나에 대한 가치 판단의 주체는 내가 되어야 함을 잊지 마세요. 그리고 미래의 나를 위해 오늘의 나를 희생하지 말아야 합니다. 오늘의 내 마음을 들여다봐 주고, 어루만져 줘야 합니다. 이마에서 나는 열을 차가운 물수건으로 덮는다고 열이 근본적으로 사라지지는 않습니다. 겉의 열을 내리는 것에 불과하죠. 원인이 무엇인지 알아내야 정확한 치료도 할 수 있습니다.

아들러는 인간은 현재를 바탕으로 미래지향적인 삶의 목적을 향해 노력하는 목적론적 존재라고 말했습니다. 그렇기 때문에 우리의 모든 행동에는 목적을 달성하기 위한 이유가 있다고 말합니다. 어느 누구나 일을 잘하고 능력 있는 사람이 되고 싶은 소망에는 분명히 이유가 있을 것입니다.

또한 아들러는 인간의 모든 노력에는 열등감이 동기로 작용한다고 했습니다. 즉 열등감으로 인해 노력하고 행동하게 된다는 것이지요. 나도 모르는 어떤 열등감이 내 마음속에 자리 잡고 있을지도 모릅니다. 그 부족한 점을 극복하고 더 나은 사람으로 발전하기 위해 지금의 그런 바람을 가지고 있는 것은 아닐까요?

아들러는 열등감의 원인을 어린 시절의 경험에서 찾았습니다. 그리고 어린 시절 부모님의 자녀 양육 방식과도 관련 있다고 얘기합니다. 저는 어릴 적 가정 형편이 그리 넉넉지 않았습니다. 어머니는 항상 일을 했고, 대신 아버지가 집에서 저와 남동생을 돌봐주었습니다. 아버지가 무뚝뚝한 편이라 그런지 저는 사랑받는다는 느낌은 거의 느끼지 못했습니다. 이런 감정은 오랜 시간 제 안에 쌓여 왔고, 스스로 더 나은 존재가 되어야겠다고 다짐하게 되었습니다. '더 나은 존재가 되어야 더 많은 사랑을 받을 수 있다'라는 생각을 했던 것 같아요.

능력 있고 일을 잘하는 사람이 되고 싶은 건 좋지만 그 과정에서 잃을 수도 있는 소중한 것을 생각해봤으면 좋겠습니다. 내 뜻대로 일이 풀리지 않으면 손톱을 물어뜯고 머리털을 뽑는 습관들, 그런 불안한 모습을 지켜보는 주위 사람들 역시 불안할 수 있습니다.

미래에 소중한 사람이 되겠다고 오늘을 희생하지 마세요. 오늘의 '나'도 미래의 '나'만큼 소중합니다. 미래의 나를 위해 오늘의 내가 아파할 필요는 없습니다. 용돈을 제게 쥐어 주었던 어머니도 좋은 어머니였지만, 어릴 적 하루하루 커가는 저와 함께했던 어머니가 더 소중했는지도 모릅니다. '지금' 소중한 사람과 함께할 수 있는 '나'가 되길 바랍니다. 지금을 희생하지는 마세요. 지금 행복하고 만족해야 미래에도 후회가 없습니다.

## 26

# 새로운 부서에서 잘할 수 있을까 걱정부터 앞서요

저는 직장생활 3년 차 직장인입니다. 곧 있으면 인사발령이 나서 새로운 부서로 이동합니다. 새로운 업무를 경험해본다는 것은 좋은 것 같아요. 원래 같은 업무를 반복하기보다는 무언가 새로운 것을 더 추구하는 성격이기도 하고요. 그런데 걱정도 있습니다. 지금까지 있던 부서에서 하던 업무와 다른 업무를 할 텐데 잘할 수 있을까 하는 걱정과 막연한 불안감입니다. 새로운 사람들과 친해질 수 있을까 하는 걱정도 들고요. 사실 이동하게 될 팀의 분위기가 그렇게 좋은 편이 아니라는 소문을 들었습니다. 그래서인지 두려움이 앞서네요. 잘 모르겠습니다. 기대도 되고 부담도 되는 이 기분의 정체가 무엇인지 말이죠. ●

## 잘 해내고 있는 미래의 나를 미리 만나기

새로운 도전은 새로운 발전 가능성을 의미합니다. 어떤 경험을 하던 경험은 그 자체로 유익한 것입니다. 경험은 곧 자산이니까요. 그렇다고 새로운 일에 불안감과 두려움을 느끼는 마음이 없어지는 건 아닐 거예요. 사람은 누구나 익숙한 것에 편안함을 느끼고 새로운 것에는 불안감과 두려움을 느끼기 때문입니다. 새로운 것에 대해 불안감을 느끼는 덕택에 오히려 안전을 지킬 수도 있지요. 매일매일 모두가 새로움만을 추구하면 이 세상 대부분은 온전히 남아 있기 힘들지도 모릅니다.

하지만 지금 미리 걱정하고 불안해한다고 해서 미래에 일어날 일이 일어나지 않는 건 아닙니다. 어쨌든 새로운 환경은 펼쳐질 것이고, 새로운 걸림돌도 만나게 될 것입니다. 중요한 것은 새로운 환경에서 '난 잘 해낼 수 있다'라고 스스로 굳게 믿는 자세입니다. 인간은 걱정하는 존재라고 생각합니다. 한 번 걱정을 시작하면 그 걱정은 한도 끝도 없기 때문이죠. 걱정이 걱정에 꼬리를 뭅니다.

저도 가끔씩 한 번 걱정하기 시작하면 3시간 정도는 다른 일을 엄두도 못 낼 때가 있습니다. 걱정의 주술에 홀린 것만 같죠. 우리가 만약 모든 걱정에 대비하려면 새로운 일을 하기도 전에 지쳐버릴 것입니다. 그런데 우리가 비가 올 날 수를 계산해서 그 숫자에 맞게 미리 우산을 준비할 필요가 있을까요? 튼튼하고 마음에 드는 예쁜 우산 하나만 있으면 됩니다. 그 우산은 바로 '나는 잘 해낼 것이다'라는 믿는 믿음입니다. 몇 날 며칠 비가 와도, 어떤 상황에서도 그 우산 하나만 있으면 걱정이 없습니다. 튼튼한 믿음 하나만 있으면 새로운 환경에서 실제로 잘해낼 수 있습니다.

물론 예상치 못한 어려움도 발생하겠지만 예상치 못한 도움을 받을 수도 있습니다. 새로운 팀의 분위기가 좋지 않다는 얘기를 들었다고 걱정할 필요도 없습니다. 막상 가보면 내가 걱정했던 분위기가 아닐 수도 있거든요. 누군가에게는 불편한 분위기가 나에게는 편안한 분위기가 될 수도 있기 때문입니다.

제가 취업 준비를 하던 대학생일 때였습니다. 지원한 회사 면접이 얼마 남지 않았는데, 회사생활을 해보지 않았기 때문에 회사 자체에 대해 아는 정보가 별로 없었습니다. 드라마에서 보거나 주위 선배들에게 들은 이야기가 전부였지요. 겪어보지 않은 상황에 대한 불안감은 날로 커졌습니다. 일단 큰마음을 먹고 면접에 필요한 정장 한 벌을 구입하러 옷가게에 갔습니다. 몇 벌의 정장들을 입어 봤습니다. 정장을 입은 제 모습이 낯설었지만 예전에는 느끼지 못했던 다른 기분을 들었습니다. 정말 회사원이 된 것 같았어요.

회사원에 가까워졌다는 생각에 마음이 조금씩 가라앉았습니다. 불안감이 사라지니 좀 더 자신감을 얻을 수 있었고, 당당히 면접에 임할 수 있었죠. 단지 옷 몇 벌을 먼저 걸쳐 본 것만으로도 그렇게 많은 자신감을 가질 수 있었습니다.

아들러는 '마치 ~처럼 행동하기' 방법을 제안합니다. 내가 이루고 싶은 모습을 상상하며 행동해보는 것입니다. 실제로 그 상황을 미리 겪어볼 수는 없지만 그 상황에 있는 나 자신을 미리 상상해볼 수는 있죠. 상상 속에서 나 자신을 이런 저런 상황에 노출시켜 보세요. 새로운 부서에서 팀장님과 대화를 나누는 모습, 새로운 팀원과 의견을 주고받는 모습, 새로운 문화에 적응해가는 모습, 새로운 기회를 만나 도전하는 모습, 새로운 회식 자리에서 동료들과 친해지는 모습 등을 상상해보세요. 어떤 상황에서도 최선을 다해 잘 해내고 있는 나를 떠올려 보세요. 그러다 보면 새로운 팀은 두려움이 아닌 친숙함으로 다가와 줄 것입니다.

과거에 내가 처음 도전해서 생각보다 좋은 결과를 이루어냈던 경험 역시 자신감을 가져다줄 수 있습니다. 첫 등교, 첫 면접, 첫 출근, 첫 프레젠테이션 등 처음 도전했던 일들은 수없이 많습니다. 그중에는 아쉬웠던 경험도 있겠지만 만족스러웠던 경험도 있을 거예요. 만족한 경험들을 되새기며 '이번에도 잘할 수 있을 거야'라고 다짐하는 것입니다.

> 미래를 안다는 것은 아무 소용이 없다. 결국 그것은 소득 없이 자기를 괴롭히는 불행이다.
>
> 키케로

> 현명한 신은 어두운 밤으로 미래의 사건들을 우리에게 숨긴다. 그리고 필요 이상으로 불안을 지닌 인생을 농락한다.
>
> 호라티우스

몽테뉴Michel De Montaigne가 그의 저서 《수상록Essais》에서 인용한 키케로와 호라티우스의 말입니다. 몽테뉴 역시 미래를 미리 불안해할 필요가 없다고 말하고 있습니다.

아직 겪어보지 않은 미래가 불안할 수도 있지만, 막상 겪어

보면 별것 아닌 경우가 참 많습니다. 그러니 미리 고민하고 불안해할 필요는 없습니다.

'어려움이 있겠지만 결국 나는 잘 해낼 것이다.'

자신을 믿기 바랍니다. 잘 해나갈 자신을 말이죠.

27

# 업무 능력이 떨어지는 것 같아 괴롭습니다

2년 차 직장인입니다. 아직은 신입사원이라고 보는 게 맞을 거예요. 그런데 요즘 너무 많이 힘이 듭니다. '과연 나는 능력이 있는 사람인가?'라는 생각까지 듭니다. 지금까지 일을 하면서 팀장님께 일 잘한다는 소리를 들어본 적이 없는 것 같아요. 팀장님이 주위 동기나 심지어 신입 후배까지도 종종 칭찬하는 걸 보는데 말이죠. 남들이 칭찬받는 걸 보면 저도 모르게 남과 제 자신을 비교하게 됩니다. 그러면서 '난 정말 능력이 없는 사람인가 보다'라는 자괴감에 빠져 많이 괴롭습니다.

요즘 회사도 가기 싫고 사람들과 얘기도 나누고 싶지 않습니다. 회사를 그만두어야 하나 하는 생각까지 듭니다. ●

## 나를 향한
## 이 세상 가장 정확한 평가

우리는 누군가에게 인정받고 싶어 합니다. 특히 직장생활을 하는 경우에는 더욱 그렇지요. 인정받는 정도에 따라 내가 업무를 얼마다 제대로 수행하는지도 가늠해볼 수 있습니다. 인정받지 못한다는 생각이 들면 업무를 제대로 하지 못하는 것 같죠.

직장생활을 하면서 상사의 칭찬, 동료 직원의 인정, 후배들의 평가로부터 완전히 자유로울 수는 없습니다. 그래서 자신의 생각보다는 타인의 평가에 맞추어 일을 처리하기도 합니다. 그렇게 하는 것이 직장생활을 잘하는 것이라 믿기도 하고요.

그런데 직장생활의 평가는 그 사람 본연의 실력보다는 주위 사람과 환경에 의해 더 많이 좌우된다는 생각이 듭니다. 실제로 능력은 뛰어나지만 상사와 업무 스타일이 맞지 않아서 또는 적성과 관련 없는 업무를 수행하고 있어서 제대로 된 평가를 받지 못하는 경우도 있기 때문입니다. 또한 상사와 잘 맞고 적성에 맞는 업무를 하고 있어도 소속팀 또는 사업부 자체가 제대로 된 평가를 받지 못하는 경우도 있지요. 그러니 결국 나 역시 제대로 된 평가를 받지 못하는 것입니다.

회사에서 인정받는 '나의 능력'에는 생각보다 많은 외부 환경요인이 작용합니다. 그러므로 나에 대한 회사나 사람들의 평가가 100% 정확한 나에 대한 평가가 아닐 수도 있다고 생각해 보기 바랍니다..

저는 제가 인정하는 스스로의 평가 기준을 갖고 싶었습니다. 외부에 흔들리지 않는 굳건한 저만의 기준을 말이죠. 사적 이익이 아닌 회사 입장에서 도움이 되는 판단, 약자 편에 서려는 마음, 상대방의 입장에서 생각해보는 자세…. 이러한 기준은 외부 요인에 상관없이 제 스스로 가지는 판단 기준이 되었습니다. 기준을 세우고 이에 따라 판단하고 행동하다 보니 점점 외부 평가로부터 의연해질 수 있었습니다.

모두가 칭송하는 노벨상을 거부한 사람이 있습니다. 바로 프랑스의 대작가이자 사상가인 장 폴 샤르트르Jean Paul Sartre입니다. 그는 노벨문학상을 거부했습니다. 왜일까요?

"나의 수상 거부는 충동적인 제스처가 아닙니다. 공식적인 명예를 나는 언제나 거부해 왔습니다. (중략) 작가가 정치, 사회, 문화적으로 어떤 입장을 갖고 있다면 작가의 방식대로 행동해야 합니다. 다시 말해 글로써 행동해야 합니다."

샤르트르는 글로써 행동할 수 있다고 생각했습니다. 외부에서 주어지는 수상과 명예가 자신의 생각과 판단이 담긴 글을 대체할 수 없다고 믿은 것이지요. 노벨상 수상 거부가 과연 잘한 일인지 아닌지는 모르겠습니다. 하지만 그만큼 강한 신념을 지녔다는 점이 놀라울 따름입니다.

아들러는 인간은 열등감을 극복해 우월성을 추구하는 존재라고 했습니다. 사람은 누구나 열등감을 가지고 있고, 그 열등감을 극복하고 이겨내는 과정에서 원하는 모습에 다다를 수 있다고도 했습니다. 그리고 그 모습을 위해 노력하는 과정을 우월성의 추구라고 했습니다. 즉 우월성이란 자기가 바라는 보습, 자아실현이라고 할 수 있지요. 아들러는 이런 자아실현의 중요성을 강조했습니다. 그럼 자아실현을 어떻게 이룰 수 있을까요?

자아실현을 하려면 내가 원하는 삶이 무엇인지를 찾아야 합니다. 어떤 사람인지, 무엇을 중요하게 생각하는지, 어떤 삶을 살고 싶은지, 어떤 때 가장 행복을 느끼는지를 고민해야 합니다. 이러한 질문에 대한 해답은 나만 찾을 수 있습니다. 그러니 다른 사람이 나에게 하는 평가는 큰 도움이 되지 않습니다. 나도 잘 모르는 나인데, 타인이 얼마나 알고 있을까요? 나를 모르는 타인이 내리는 평가가 얼마나 정확할까요?

내가 나에 대해 하는 생각이 가장 중요합니다. 나에 대한 타인의 평가는 그다음입니다. 타인의 평가는 혹시 보지 못한 나의 외면과 행동을 확인하는 참고자료일 뿐입니다. 그러니 자아실현이 우리 삶의 궁극적 목적이라면 내가 누구인지부터 파악해야 합니다. 내가 중요하게 생각하는 가치, 나를 행복하게 하는 가치를 찾아내야 합니다. 그 가치를 찾았다면 이젠 내가 잘하고 있고 더 잘할 수 있는 것들에 집중하는 겁니다.

'나는 이미 잘하고 있고 더 잘할 수 있는 능력이 있다.'

이렇게 스스로에게 믿음을 주세요. 그리고 꾸준히 노력하는 것입니다. 그뿐입니다. 이것이 내가 할 수 있는 최선입니다. 나를 믿고 그 믿음대로 행동하면 결국 타인 역시 나와 똑같은 시선으로 나를 믿고 바라보게 됩니다.

이 세상에 완벽한 사람은 없습니다. 겉보기에 완벽해 보이는 사람도 스스로는 완벽하지 않습니다. 칭찬받는 동료 역시 마찬가지입니다. 그도 스스로는 부족하다고 생각하는 부분이 분명 있습니다.

가장 먼저 스스로 나를 인정해야 합니다. 내가 인정하지 않는 나를, 어느 누구도 인정하지 못하기 때문입니다. 스스로를 인정하면서 쌓이는 작은 성공들이, 또 다른 형태의 큰 자신감을 줍니다.

## 28

# 보기만 해도 답답한 팀원 때문에 괴롭습니다

팀장 3년 차입니다. 저희 팀원 중에 아주 답답한 팀원이 한 명 있습니다. 그 친구의 답답한 면이 종종 제 속을 뒤집어놓곤 합니다.
그는 일은 곧잘 합니다. 성실하기도 하고요. 일을 시키면 군더더기 없이 깔끔하게 잘 끝내는 편입니다. 그런데 뭐가 문제냐고요? 평소 자신의 의견을 제대로 말하지 않습니다. 회의시간에도 입을 다물고 있어, 꼭 꿀 먹은 벙어리 같습니다. 더구나 그 팀원은 간부급 직원으로 팀의 중간 위치라 좀 더 활발하고 적극적인 모습을 보여주면 좋겠는데, 그 친구 영향을 받아서인지 다른 팀원들까지지 덩달아 조용합니다. 그에게 적극적인 모습을 기대하는 제가 잘못된 것일까요? 많이 답답합니다. 다른 팀으로 보내고 싶은 생각이 굴뚝 같습니다.

## 타인을 바라보는 내 마음 바꾸기

일을 시키면 일도 깔끔하게 잘 해내고 성실합니다. 그런데 상사의 눈에는 좀 더 적극적이고 활발했으면 하는 바람이 있지요. 너무 조용해 보는 사람은 답답하게 느껴지기도 합니다.

그런데 솔직히 요즘 같은 세상에 자신의 일을 제대로 처리해 주는 팀원도 흔하지 않다는 생각이 들기도 합니다. 고민하는 사람 입장에서야 선뜻 공감 가지 않겠지만, 주위를 둘러보면 시킨 일도 제대로 하지 않고 요령을 피우는 직원도 수두룩하기 때문입니다.

사람은 모두 저마다 잘하는 것이 있습니다. 바다 위를 운항하는 배만 봐도 그렇습니다. 배에는 설비를 잘 다루는 정비 선원이 있는가 하면 방향을 잘 조절할 수 있는 조타수도 있습니다. 선원들의 취식을 담당하는 요리 잘하는 취사 선원이 있는가 하면, 수영 실력이 뛰어난 선원도 있습니다. 물론 한 사람이 배의 엔진도 잘 다루고, 키도 잘 잡을 수 있고, 밥도 잘 짓고 수영도 잘하면 좋겠지요. 그런데 그런 사람은 많지 않습니다. 회사에서도 마찬가지입니다. 모든 팀원이 팀장이 바라는 대로 모든 것을 척척 해줄 것으로 기대해서는 안 됩니다. 나 역시 상사가 원하는 모든 면을 갖추지는 않았을 겁니다.

일을 잘하는 팀원이 있다면 그 팀원에게 일을 우선적으로 맡기면 됩니다. 팀장은 팀원에게 팀원은 팀장에게 서로 만족할 수 있습니다. 팀의 분위기 메이커 역할은 그것을 더 잘할 수 있는 팀원에게 맡기면 됩니다. 답답한 팀원에게 고민을 털어놓고 함께 방법을 찾아보는 것도 방법입니다.

혹시 타인의 성향을 바꿀 수 있다고 생각하나요? 개인 삶의 방식을 쉽게 바꿀 수 있다고 생각하나요? 그렇지 않습니다. 이에 대해 아들러는 다음과 같이 얘기합니다.

> 유년기 삶의 방식의 목표가 성숙한 후의 목표와 정확하게 일치한다는 사실을 확인할 수 있었다. (중략) 최종 목표로 향하는 정신생활을 결정하는 근본 토대나 목표, 리듬, 역동성, 그 밖의 모든 것은 불변인 채로 그대로라는 것이다.
>
> 《아들러의 인간이해》, 알프레드 아들러

아들러는 한 인간이 유년기 때 형성된 삶의 방식이 성인이 된 이후에도 바뀌지 않음을 강조합니다. 아들러의 말대로라면 유아기 때 형성된 타인의 삶의 방식을 내가 어떻게 바꿀 수 있겠어요?

사람의 성향을 바꾸는 것은 날씨를 바꾸는 것처럼 불가능한 일입니다. 성향이란 본래 타고난 특징이기 때문입니다. 특히 타인의 것일 때는 더더욱 그렇죠. 마음에 드는 날씨일 때만 집 밖을 나간다고 하면 1년 중 외출할 수 있는 날이 며칠이나 될까요?

> 이 세상에서 우리가 바꿀 수 있는 유일한 사람은 우리 자신밖에 없다.
>
> 괴테

팀원을 너무 미워하거나 답답해하지 마세요. 타인의 성향은 바꿀 수 없습니다. 대신 타인의 성향을 대하는 내 마음과 시각은 바꿀 수 있습니다. 내 마음을 다스릴 수 있는 사람은 내 자신이기 때문입니다.

저도 다양한 색깔과 다양한 성향을 지닌 사람들과 근무했습니다. 말하기를 꽤 좋아하는 동료가 한 명 있었는데, 그는 회의 시간에 자신의 의견을 말하는 데 아무런 거리낌이 없었습니다. 어떤 주제를 가지고 누구와 회의를 하던 간에 그의 의견이 대부분을 차지했습니다. 모든 사안에 어떻게 그렇게 자신의 의견을 곧잘 제시할 수 있는지 신기하기까지 했습니다. 많은 의견을 제시하니 '좋은 의견이다'라는 생각이 들 때도 있지만, 가끔은 '왜 굳이 저런 얘기까지 하지', '상황에 맞지 않는 얘기인 것 같은데'라는 생각도 했습니다.

말이 많은 만큼 좋은 의견도 냈지만 그만큼 '별로'라는 생각이 드는 의견도 많이 낸 것이죠. 때론 사실과 다른 이야기를 마치 사실인 것처럼 말해서 지적을 받기도 했지요.

반면 좀처럼 목소리를 듣기 힘든 동료도 있었습니다. 한마디씩은 모두 해야 하는 회의에서조차 그의 의견을 듣기 어려웠습니다. 실제로 의견이 없어서 그런 것인지, 아니면 의견은 있지만 말할 용기가 없어서 그런지는 잘 모르겠습니다. 어찌되었건, 그럴 때는 저도 답답하다는 생각이 들었습니다. 대신 그는 자신의 업무는 차분히 잘 수행했습니다. 남들은 몇 시간씩 걸려 분석해야 하는 매출보고서도 쉽게 잘 작성했고, 자료를 수집하고 데이터를 분석해서 새로운 대안을 제시하는 보고 능력도 뛰어났습니다. 제가 보기엔 기획서 작성 및 보고 업무는 그를 따라갈 자가 없었습니다.

눈에 차지 않는 팀원이 있다면, 그 팀원의 약점 대신 강점을 보도록 노력해보세요. 강점을 활용할 수 있는 기회를 많이 만들어주세요. 좋은 리더는 약한 팀원을 먼저 챙겨 주는 사람이라 생각합니다.

내가 바라는 점을 이미 가진 팀원만 찾는다면 팀원의 다른 강점은 보지 못할 수 있습니다. 말하기에 어려움이 있는 팀원이 있다면 더 많이 기다려주고 더 많이 경청해주세요. 그리고 그가 더 잘할 수 있는 일을 맡겨봐 주세요. 사람들은 저마다 잘할 수 있는 것이 모두 다르다는 사실을 잊지 말기 바랍니다.

## 29

# 업무에 실수가 많아
# 좌절감을
# 자주 느낍니다

애플리케이션 개발업체에서 일하는 프로그래머입니다. 개발 업무의 특성상 매뉴얼이 정확하지 않습니다. 설령 매뉴얼이 있다고 해도 변수가 워낙 많기 때문에 그대로 일을 진행해 나가기는 어렵습니다. 그러다 보니 생각지도 못한 상황에 처하기도 하고 실수도 많이 하는 편입니다. 이 때문에 자꾸 노심초사하게 됩니다. '오늘은 또 어떤 일이 터질까?' '어떤 불똥이 나에게 튈까?' '또 어떤 실수를 할까?' 출근할 때면 늘 마음이 불안합니다. 매일 매일 스트레스가 쌓이는 느낌입니다. 늘 걱정과 불안을 달고 사는 직장생활이 힘드네요. ●

## 틈과 실수가 만드는 진정한 완벽함

업무를 할 때 매뉴얼이 없으면 처음부터 모든 것을 내가 판단하고 결정해야 하므로 부담스럽습니다. 그뿐만 아니라 그에 따른 책임감도 또 다른 부담입니다. 매뉴얼이 없으면 업무의 일관성도 떨어집니다. 이번에는 이렇게 일을 처리했어도 다음번에는 또 다르게 일을 처리해야 하기도 합니다. 매뉴얼이 없는 상황은 신호등이 고장 난 강남대로 사거리처럼 느껴집니다. 먼저 들이대는 차가 장땡이죠. 이러다 사고라도 나면 정말 답도 없습니다.

그렇다고 매뉴얼이 있는 것이 반드시 좋은 것은 아닙니다. 일장일단一長一短이 있는 것이죠. 매뉴얼도 적당해야 매뉴얼답습니다. 매뉴얼이 너무 촘촘하면 숨 막힙니다. 시작도 하기 전에 많은 제약과 조건으로 지칠 수도 있습니다. 시작할 엄두가 안 납니다. 더구나 개발업체라면 창의성과 혁신성을 바탕으로 한 업무를 주로 하는 환경에서 많은 매뉴얼은 자칫 방해가 될 수도 있습니다.

매뉴얼 자체가 좋다 나쁘다 단적으로 말할 수는 없습니다. 이는 개인의 성향에 따라서도 다릅니다. 좀 더 창의적이고 새로운 방식으로 일하기 좋아하는 사람은 매뉴얼이 있는 상황을 힘들어하겠지만, 규칙에 따라서 일하기 좋아하는 사람은 매뉴얼이 없는 상황을 힘들어 할 것입니다.

만약 매뉴얼이 없는 상황에 스트레스를 받고 있다면, 규칙에 따라 일하는 것을 선호하는 성향일 수 있습니다.

어떤 성향이건 걱정과 스트레스에서 완전히 벗어나는 방법은 없습니다. 정상적인 사고를 지닌 직장인이라면 걱정과 스트레스를 전혀 느끼지 않을 수 없죠. 감정과 스트레스는 밀접한 관련이 있습니다. 사람이 감정을 떠나서 살 수 없듯 걱정과 스트레스에서 완전히 벗어나서 살 수는 없습니다. 대신 걱정과 스트레스에 대한 마음을 달리 먹을 수는 있습니다.

아무리 계획을 빈틈없이 완벽하게 잘 세운다 해도 돌발 상황까지 조정할 수는 없습니다. 일어날 일은 어차피 일어납니다. 그러니 예상치 못한 변수가 일어날지도 모른다고 미리 스트레스를 받을 필요는 없습니다.

돌발 상황이 일어나면 그냥 그 상황을 받아들이세요. 그 상황에서 할 수 있는 최선의 것을 다하면 됩니다. 그뿐입니다. 잘 대처할 수 있다면 좋고, 어려움이 지속된다면 어쩔 수 없습니다. 이미 나는 최선을 다했기 때문입니다.

그다음으로 내가 할 것은 미래에 대해 좀 더 의연해지는 것입니다. 내가 현재 할 수 있는 것은 예상되는 상황에 대해 매뉴얼을 준비하고 대응책을 마련하는 것입니다. 어쨌든 그렇게 해도 준비는 준비일 뿐 모든 상황을 완벽하게 대응하지는 못합니다. 틈은 언제나 발생하는 것이지요.

> 목재는 각각의 결이 있기 때문에 그 성기고 빽빽함에 신경을 쓰면서 붙일 곳은 붙이고 간격을 둘 곳은 간격을 두면서 해야 한다. 만약 그렇지 않고 빈틈없이 딱 맞추어 설치하면 나중에 그 부분이 갈라지거나 구부러질 수도 있다. (중략) 지나치게 완벽한 탓이다. 그래서 뛰어난 목수 장인은 합리적으로 약간의 틈을 남겨둔다. (중략) 그러면 설치 후에 조금 전과 같은 문제를 방지할 수 있다.
>
> 《좋은 습관은 배신하지 않는다》, 거뤄

뛰어난 장인은 목재가 서로 완벽히 맞닿게 하기 위해 일부러 목재에 틈을 줍니다. 틈이 목재의 완벽한 조립을 완성하는 것이죠. 그러니 틈을 무조건 틈으로만 바라봐서는 안 됩니다. 완벽을 완성하는 신의 한수가 될 수 있습니다.

심리학에는 '실수 효과Pratfall'라는 것이 있습니다. 완벽한 사람보다 완벽해 보이지만 실수하는 사람에게 더 큰 호감을 갖는다는 이론입니다.

실수도 해야 더 인간적으로 보이고, 그래야 더 많은 사람이 도움을 줍니다. 그러니 변수가 많아 실수를 할 것 같은 상황을 너무 걱정하지 않기 바랍니다. 내가 보인 몇 개의 실수와 틈이 나에 대한 인간적 매력을 상승시킬 수도 있다 생각하기 바랍니다. 그럼 좀 마음이 편안해질 거예요.

아들러는 인간에게 '자기 모습을 있는 그대로 파악하는 부가적인 노력'이 필요하다고 말합니다. 현재의 내 모습을 파악함으로써, 지금 내 모습과 내가 바라는 모습이 불일치되는 것을 명확히 느끼는 것이 중요하다는 의미입니다.

지금 내가 바라는 모습은 어떤 것일까요? 이 힘든 상황을 탈출하는 것인가요? 아니면 마음의 평정심을 유지하는 것인가요? 내 현재 모습은 어떤가요? 내가 바라는 모습과 현재의 내 모습은 무척 다를 수 있습니다. 만약 다르다면, 이제는 내가 원하는 모습으로 변화할 일만 남았습니다.

변화를 위한 구체적인 방법을 추천합니다. 바로 '단추 누르기 기법the push button techniques'입니다. 단추 누르기 기법은 우울감을 가진 사람이 유쾌한 경험과 그렇지 않은 경험을 번갈아 가며 생각해보도록 도움을 주는 훈련입니다. 이는 자신의 감정을 스스로 잘 조절할 수 있도록 훈련하는 데 그 목적이 있습니다. 유쾌한 사건을 상상할 때는 즐거운 감정이 들지만 불쾌한 사건을 상상할 때는 우울하고 슬픈 감정이 듭니다. 그런데 지금 느끼는 감정은 실제로 그 일을 겪어서가 아닙니다. 과거의 일에 묶여 있던 감정을 지금의 상상으로 다시 꺼내 오는 것입니다. 예전 일을 떠올렸던 것만으로 그때의 감정을 동일하게 느낄 수 있습니다. 이러한 연습을 하다 보면 실제로 어느 정도 자신의 감정을 조절할 수 있게 됩니다. 그러니 내가 지금 우울해할 것인지 아니면 행복감을 느낄 것인지는 원하는 단추를 누르듯 원하는 감정을 눌러 내가 결정할 수 있다는 것을 알았으면 좋겠습니다.

내 손에는 지금 2개의 단추가 있습니다. 하나는 우울의 단추이고 또 하나는 행복의 단추입니다. 어떤 단추를 누르나에 따라 내가 느끼고 싶은 감정이 달라집니다. 눈을 감고 행복의 단추를 눌러 봅니다. 예전에 느꼈던 행복한 감정들을 온몸 구석구석으로 느껴봅니다. 눈을 떠서 현실로 돌아옵니다. 자, 이제 감정과 변화의 기분이 느껴지나요?

지금 스트레스를 받으며 걱정을 느낄 것인지 아니면 스트레스를 받지 않으며 여기서 걱정을 멈출 것인지는 내가 결정해 볼 수 있습니다.

## 30

# 부하 직원이 미덥지 못해
# 그의 일까지 다하려니
# 너무 힘이 듭니다

엔터테인먼트 회사의 4년 차 직장인입니다. 대리 때가 가장 일이 많다고 하는데, 그 말이 맞는 모양입니다. 저는 요즘 일이 너무 많습니다. 대리여서 그런 것도 있겠지만 후배 직원 하나 때문에 더 많아졌습니다. 후배는 이제 막 신입사원의 때를 벗어나기 시작하는 2년 차입니다. 그런데 제가 보기에는 신입사원 수준을 완전히 벗어나려면 아직 먼 것 같습니다. 일을 하나 시키면 제대로 이해하지 못하고, 시간이 많이 걸려 해온 일도 기대에 못 미치는 답답한 수준입니다. 그래서 후배에게 일을 시킬 것도 웬만하면 그냥 제가 다 하게 됩니다. 일을 시켰다가 나중에 실망해서 그때 가서 다시 하느니 그냥 처음부터 하는 것이 낫기 때문입니다. 후배 직원의 업무 능력에 대해서는 모두가 공감합니다. 그래서 그런지 오히려 동료들이 저를 측은하게 여

기는 분위기입니다. 일이 많아 힘이 드네요. 어떻게 하면 좋을까요? ●

## 작은 성공이 불러오는 큰 성공

직장생활에서 말을 잘 알아듣는 후배 한 명을 둔다는 것은 천군만마千軍輓馬를 얻은 듯 든든한 일입니다. 대충 말해도 정확히 알아듣는 후배, 일을 시키면 너무나 마음에 쏙 들게 일을 해 오는 후배, 이런 후배를 만나는 건 어찌 보면 직장생활의 보너스 같다는 생각도 들어요. 하지만 그 반대라면 너무나 힘이 듭니다. 답답한 후배를 만나면 정말 짐처럼 느껴지기 마련입니다. 손이 많아져 도움이 되기는커녕 차라리 혼자 하는 게 낫다는 생각이 들 정도이니까요.

이럴 경우, 흔히 쓰는 해결방법이 내가 다 해버리고 마는 것입니다. 그런데 이건 너무 순간적인 해결책입니다. 일을 끝내면 당장은 속 편할 수 있습니다. 맡겼다가 잘못된 일을 처음부터 다시 하는 것보다 더 낫다고 생각하기 때문입니다. 하지만 문제는 나중입니다.

먼저 '후배 일을 대신 하는 선배'의 입장에서 생각해볼까요? 후배가 해야 할 업무까지 하다 보면 내 업무는 점점 많아집니다. 그러면 나는 당연히 야근 횟수도 늘어나고 스트레스도 함께 증가합니다.

이번에는 후배의 입장에서 생각해보겠습니다. 후배 직원은 자신의 업무 능력이 선배의 기대에 미치지 못한다고 생각합니다. 잘해보려 노력했지만 생각만큼 잘 되지 않습니다. 지시 받은 업무가 잘 이해되지 않습니다. 그런데 물어보고 싶어도 질문하는 것 자체가 쉽지 않습니다. 눈치가 보이기 때문이죠. 이해하지 못한 채로 일을 진행하다 보니 완성은 했는데, 선배가 보기에는 수준 미달입니다. 선배는 자신에게 일을 더 주지 않습니다. 점점 자신감이 떨어지고 위축됩니다.

이렇게 되면 후배는 업무를 해볼 기회가 더욱 줄어들고, 역량을 발전시킬 수 있는 기회도 놓치게 됩니다. 결국 선배는 선배대로 일이 많아져 힘들고, 후배는 후배대로 업무 능력이 점점 저하되어 심리적으로 더 위축됩니다. 신입사원에게 업무의 기회를 제공하고, 시행착오의 경험을 갖게 하는 것은 매우 중요한데 말이죠.

에드워드 손다이크Edward Thorndike는 시행착오의 중요성을 강조한 미국의 심리학자입니다. 그는 학습을 함에 있어 시행착오 자체가 연습의 자연스런 과정의 일부라고 하였습니다. 즉 사람과 동물을 비롯한 유기체는 문제 해결이 필요한 상황에서 문제를 해결할 때까지 다양한 실패와 착오를 경험하는 것이 자연스러운 현상이라고 합니다. 그리고 시행착오와 문제 해결 시도 횟수가 늘어날수록 같은 상황에 대한 문제 해결 능력 역시 증가한다고 했습니다. 그는 이러한 방법을 통한 학습을 '시행착오 학습Trial and error learing'이라고 명명했습니다.

물론 매일 가는 회사 사무실은 심리학자가 연구하는 실험실이 아닙니다. 사무실에는 수많은 변수와 다양한 사람이 존재합니다. 사무실의 학습자인 후배 직원을 위해 한없이 많은 기회와 시간을 제공해주기는 힘듭니다. 후배 직원이 실력 발휘를 할 때까지 기다려줄 수도 없습니다.

하지만 그럼에도 방법은 있습니다. 일단 일을 맡겨보는 것입니다. 처음부터 너무 어려워 보이거나 중요한 일을 맡길 필요는 없습니다. 시간이 좀 더 걸려도 되는 일, 자칫 실수가 있어도 큰 문제가 없는 일부터 맡겨 보는 것입니다. 그럼 일을 맡기는 사람이나 일을 맡아 하는 사람이나 큰 부담 없이 업무를 대할 수 있습니다.

우리가 느끼는 성취감이라는 감정은 매우 중요합니다. 성취감을 얻으면 자신감을 얻습니다. 자신감을 얻으면 더 높은 수준의 목표에 도전하려는 동기動機, Motivation를 얻게 됩니다. 그러므로 중요한 것은 최초의 성취감입니다. 아직 학습 능력이 부족한 학습자에게 처음부터 달성하기 힘든 과제를 주면 성취감을 느낄 수 없습니다. 차라리 아주 쉬워 보이는 업무를 주고 그것을 달성하게 합니다. 그럼 학습자는 성취감을 얻을 수 있습니다. 남들이 보기에는 별것 아닌 업무라 해도 말이죠. 난이도가 낮은 업무라도 성공적으로 수행한 이후에는 성취감을 느낄 수 있습니다.

심리학에는 '승자 효과winner effect'라는 이론이 있습니다. 영국 신경심리학자 이안 로버트슨Ian Robertson이 그가 집필한《승자의 뇌Winner Effect》라는 책에서 강조한 개념인데 작은 성공의 중요성을 강조합니다. 성공을 경험하면 우리 몸안에서는 테스토스테론Testosterone이라는 남성 호르몬 물질이 더 많이 분비됩니다. 그리고 이 물질은 우리의 지배적인 성향을 더 강하게 만들어 더 높은 수준의 성취에 도전하도록 자극한다는 내용이지요.

고기도 먹어본 사람이 고기 맛을 더 잘 안다는 말처럼, 성공도 해본 사람이 성공의 맛을 더 알기에 다음번에 좀 더 손쉽게 성공을 이루어낼 수 있습니다. 그래서 중요한 것이 초반의 작은 성공입니다. 작은 성공으로 첫 성취감을 느끼게 해주는 겁니다. 성취감은 작은 자신감을 얻게 하고, 작은 자신감이 좀 더 큰 성공에 대한 도전을 불러일으킵니다. 이런 과정을 반복하다 보면 점점 더 큰 도전과 성공을 이어갈 수 있습니다. 작은 성공이 좀 더 큰 성공에 대한 전초前哨 단계 역할을 하는 것이죠. 그 과정에서 익힌 성공에 대한 경험과 시행착오는 상상도 못했던 미래의 큰 성공을 가져다줄 수도 있습니다.

후배가 미덥지 않더라도 그가 할 만한 일을 모두 대신하는 것은 좋은 방법이 아닙니다. 시간이 좀 걸리더라도 후배가 작은 성공을 경험할 수 있도록 도와주세요. 자신도 더 편해지고, 후배도 발전하는 길입니다.

# 4장

# 행복한 순간 속에 숨은 나의 미래 찾기

우울한 사람은 과거에 살고 불안한 사람은 미래에 살고
평안한 사람은 현재에 산다.

《도덕경》, 노자

노자가 살았던 시대에도 사람들은 미래를 걱정했습니다. 앞날에 대한 불안 심리는 예나 지금이나 마찬가지인 모양입니다. 미래는 아직 가지 않은 길입니다. 가지 않은 길이기에 길이 어디로 이어지는지 알 수 없습니다. 알 수 없기에 불안하고 두렵습니다. 우리는 보이지 않는 것에 큰 두려움을 가지고 있기 때문이죠.

잠시 상상해볼까요? 많은 사람이 오가는 강남 한복판을 걷다가 길 한가운데서 잠시 걸음을 멈추고 눈을 감습니다. 주위로 사람들이 지나가는 것이 느껴지면, 순식간에 불안감에 휩싸입니다. '누가 밀치진 않을까, 누가 와서 부딪히진 않을까, 누군가 나를 이상하다고 여기며 쳐다보고 있지는 않을까….' 불안감과 두려움이 꼬리에 꼬리를 물고 이어집니다. 익숙했던 그곳이 한순간에 불안감을 느끼는 공포의 공간으로 바뀝니다. 그러다 다시 눈을 뜨면, 평온했던 일상으로 돌아옵니다. 아무 일도 벌어지지 않았지요.

이렇게 볼 수 있다는 것은 중요합니다. 볼 수 없으면 불안합니다. 미래를 내다볼 수 있다면 얼마나 좋을까요. 그럼 이 괴로운 불안감들을 조금이라도 떨쳐낼 수 있을 것 같습니다. 직장인

대부분은 미래에 대해 막연한 불안과 초조함을 느낍니다. 단지 대놓고 '나 실은 많이 불안해'라고 말하지 않을 뿐입니다. 문득 이런 생각이 듭니다.

'지금은 회사 다니지만 퇴사하면 뭐해 먹고 살지?'

자주 찾아오는 걱정손님이지만 매번 답은 주지 못하고 그냥 돌려보냅니다. 직장인은 회사에 최선을 다해야 하지만 마냥 그럴 수만은 없는 현실과 수시로 마주합니다. 상담을 하면서 만난 직장인들의 미래에 대한 고민은 주로 이런 것이었습니다.

'회사를 위한 삶과 나를 위한 삶 가운데 어느 것을 선택해야 하나요?'

'회사를 관두고 싶어요. 당장 그만두어도 될까요?'

'직장생활이라는 것은 언제까지 해야 하는 것인가요?'

'정년퇴직을 앞두고 많이 우울합니다.'

고민은 개인마다 정도의 차이가 있을 뿐 누구에게나 마음 한편의 짐입니다. 어떤 이에게 미래는 상상할 수 없을 만큼 큰 두려움입니다. 이를 극복하기 위해서는 미래에 대한 자신만의 그림과 목표가 필요합니다. 되고 싶은 모습, 하고 싶은 일, 만나고 싶은 사람들, 가고 싶은 곳, 도와주고 싶은 사람들을 머릿속에서 그려보세요. 목표가 있다는 건 인생 여정에 나침반이 있는 것과 같습니다. 나침반이 없는 여행은 목적지에 도착할 수 없음을 의미합니다.

일단은 목표를 정해야 합니다. 목표 없는 인생은 갈 곳 잃은 인생입니다. 목표는 인생에서 있으면 좋고 없어도 그만인 액세서리가 아니라 반드시 챙겨야 할 필수품입니다. 목표는 인생의 도착지와 나를 이어주는 세상에서 가장 강력한 끈입니다.

> 목표 없는 인생은 풍전등화와 같다. 목표가 없으면 작은 어려움만 생겨도 큰 풍랑을 만난 난파선처럼 갈팡질팡하게 된다. 반면 인생의 목표가 정확하다면 어려움을 만났을 때 해결방법을 찾아 극복하게 될 것이다.
>
> 《오늘, 행복을 쓰다》, 김정민

직장인들을 만나면서 뜻밖에도 자신의 목표가 무엇인지 모르는 사람이 많다는 데 안타까움을 느꼈습니다. 그들은 손에 연필을 쥐고 있지만 그것으로 무엇을 그려야 할지 모르는 듯 했습니다. 그렇다고 대신 그려줄 수도 없었습니다.

그런데 한 가지 재미있는 사실이 있었습니다. 그들은 자신들의 꿈과 미래에 대해서는 잘 모르지만 회사의 목표와 비전에 대해서는 매우 확실하게 알고 있었습니다. 그리고 목표를 달성하기 위한 전략들도 잘 만들고 실행도 잘했습니다. 이보다 더 역설적인 상황은 없을 것입니다.

대부분의 직장인이 무엇을 할 때 자신이 가장 행복한지 잘 모릅니다. 자신이 언제 가장 행복한지 알아야 목표와 꿈의 단서를 찾을 수 있습니다. 그러므로 일단 시작하는 것이 중요합니다. 실패해도 괜찮습니다. 다시 시작하면 되지요. 실패해도 다시 도전해야 하는 일이 바로 꿈을 찾는 일입니다. 꿈을 찾는 일에는 실패가 있어도 상관없습니다. 반드시 해야 하는 일이기 때문입니다.

하루아침에 직장을 그만두라는 말이 아닙니다. 예를 들어 자격증을 따기로 마음먹었다면 일단 시험일을 확인하고, 공부해야 할 과목과 준비 요령 등을 구체적으로 찾아봐야 합니다. 그리고 가능하다면 당장 내일부터 퇴근 후 도서관이나 관련된 학원을 등록해야 합니다. 그것이 실행력입니다. 하기로 마음먹었으면 미루지 않고 시작하는 힘, 여기다가 지속하는 힘까지 더해지면 꿈꾸던 미래는 내 것이 됩니다.

미래에 대해 더는 불안해하지 말고, 그럴 시간에 내가 어떤 사람인지 파악해보기 바랍니다. 흥미 있어 하는 것과 적성에 맞는 것이 무엇인지 곰곰이 생각해보기 바랍니다.

## 31

# 대기업 신입사원인데, 회사를 그만두고 싶어요

대기업 신입사원입니다. 공채로 합격했을 때 저희 집은 그야말로 축제 분위기였습니다. 부모님은 너무 좋아했고, 중소기업에 다니는 언니로부터는 축하와 부러움을 동시에 느꼈습니다. 모처럼 뿌듯했던 기억이 나네요. 친구들로부터도 많은 축하를 받았습니다. 저도 처음에는 좋았고 무엇이든 열심히 해보려 했습니다. 그런데 입사 3개월이 지나고 나서부터 회사 다니기가 싫어졌습니다. 회사 일이 재미도 없고, 무엇보다 동료들과 잘 지내는 것이 생각보다 힘들었습니다. 아침에 눈을 뜨면 출근해야 하는 현실이 너무 우울하고 답답합니다.

최근에는 정말 회사를 그만 다니고 싶어 가족과 친구들에게 제 생각을 털어놓았습니다. 그러나 모두 반대하네요.

"그렇게 힘들게 들어간 좋은 회사를 왜 그만두려고 하느냐?"

"그만큼 월급 주는 회사가 많을 줄 아냐?"

"네가 배가 불렀구나? 남들은 못 들어가서 난리야."

이 말들이 틀리지 않다는 걸 저도 압니다. 하지만 그렇다고 무조건 참고 회사를 다녀야 하는지 잘 모르겠습니다. 취업 전에 외국 대학원으로 유학을 갈까 고민한 적이 있었는데, 부모님 반대로 가지 못했습니다. 차라리 그때 유학을 갔더라면 좋았을 텐데 하는 미련이 생기네요. 회사를 그만두고 유학을 가는 것은 어떨까요?

## 모든 내 선택이 가진 그럴 만한 이유

'평양감사도 자기가 싫으면 그만'이란 속담이 있습니다. 아무리 좋은 회사라도 본인이 재미없고, 사람들과 잘 지내지 못한다면 퇴사하고 싶을 수 있습니다. 물론 퇴사를 결정하는 건 쉽지 않은 일이지요. 조언이라도 들어볼까 주변에 고민을 털어놓아도 좋은 소리를 듣기는 어렵습니다. 원래 그래요. 주변 사람들은 모두 자기 입장에서 조언하는 것이니까요. 결국 내가 선택하고 내가 결단을 내려야 합니다.

신입사원 때 선배로부터 이런 얘기를 들은 적이 있습니다.

직장생활 시작 후 보통 3단위로 한 번씩 고비가 찾아온다고 하더군요. 입사 후 3주, 3개월, 3년, 6년 이런 식으로 말이죠. 13년 차 직장생활을 하는 저는 지금이 네 번째 직장입니다. 한 곳으로만 따진다면 고비를 넘기지 못한 것이 되지만 직장생활 전체로 보면 13년째 고비를 잘 넘기고 있는 셈이네요.

직장생활에는 당연히 고비가 있습니다. 고비는 그 자체로 좋은 것도 나쁜 것도 아닙니다. 고비를 어떻게 바라보고 어떻게 활용하느냐가 더 중요하기 때문입니다. 활용에 따라 고비는 장애물로 작용할 수도, 디딤돌로 작용할 수도 있습니다. 그러니 고비들을 잘 활용해 디딤돌로 만들어야 합니다. 실제로 디딤돌이 아니었다고 해도 그렇게 생각하는 마음이 중요합니다. 때로는 '사실 그 자체'보다 '인식'이 중요할 때가 있는 법이죠.

외국 대학원으로 유학을 가는 것 자체는 좋은 선택입니다. 하지만 문제는 그 이유입니다. 유학 자체가 목적이 아니라 현재를 피하는 게 목적이라면 다시 생각해볼 것을 권합니다. 왜냐하면 유학에 대한 명확한 목적이 없다면 나중에 또다시 후회할 가능성이 크기 때문이지요. 지금 만나는 이성이 싫어져서 홧김에 다른 이성을 만난다면 그 만남이 진정한 만남이라고 할 수 있을까요? 아마 그 관계는 오래 지속되기 힘들 것입니다. 마찬가지로 유학 자체를 목적이 아닌 하나의 수단으로 활용한다면 그 선택에 대해 후회할 가능성이 큽니다.

사람은 누구나 미래에 대한 막연한 불안감을 가지고 있습니다. 프로이트는 "성인이 된 이후에도 누구나 불안감을 가지고 있다"고 했습니다. 그래서 이 불안감을 감소시키기 위해 방어기제라는 것을 사용합니다. 그 대표적 방어기제 중 하나가 바로 '회피Avoidance'입니다. 불안의 원인이나 상황을 피함으로써 불안 수준을 감소시키거나 제거하는 것입니다.

겉으로는 나타나지 않아도 무의식 속에서 현재의 일과 상황에 대해 막연한 불안을 느낀다면 이를 감소시키려 '회피' 방어기제가 나타날 수 있습니다. 그리고 방어기제를 통해서 현재의 불안감은 어느 정도 줄일 수도 있지요. 하지만 앞으로가 문제입니다. 비슷한 상황을 겪을 때마다 회피를 반복할 수는 없습니다. 도망치는 것만이 능사는 아닙니다. 몸이 아픈 이유를 정확히 찾아내 치료해야 하듯, 불안감의 원인을 찾아내 정확히 치료하는 것이 중요합니다.

회사를 그만두기 전에 자신에게 질문을 던져 보세요.

'나는 어떤 사람인가?'

'나는 무엇을 좋아하는가?'

'나는 어떨 때 행복감과 희열을 느끼는가?'

'나는 무엇을 할 때 시간 가는 줄 모르고 몰두하는가?'

이 질문들에 대한 답을 바탕으로 삶의 목표를 세우는 데 유학이 꼭 필요하다면 그때 유학을 선택하면 됩니다.

긴 인생에서 앞으로도 수많은 선택을 해 나가야 합니다. 어떤 선택을 하던 인생에 정답은 없습니다. 가장 중요한 것은 내가 한 선택에 최선을 다하는 것입니다. 그리고 하지 않은 선택에는 미련을 갖지 않는 것입니다. 그것이 선택을 대하는 현명한 자세입니다. 만약 후회되는 선택이 있다면 이런 생각을 해보세요.

'그땐 그럴 만한 이유가 있었겠지.'

그때는 분명 그럴 만한 이유가 있었기에 그렇게 했던 겁니다. 그러니 그때 내가 한 결정을 지금의 내가 존중해주면 됩니다. 전관예우轉官禮遇라는 말도 있잖아요? 긍정적인 의미에서 전관예우는 전임前任 관리가 결정한 사항들을 신임新任 관리가 최대한 존중해주는 관례를 말합니다. 그래야 사람이 바뀐다고 조직의 정책이 하루아침에 바뀌는 것을 방지할 수 있을 테니까요 개인의 인생도 마찬가지입니다. 어제의 나와 오늘의 내가 안정적으로 연결될 수 있어야 자신 있게 중요한 선택을 할 수 있습니다.

어떤 선택을 한다는 것은 많은 고민과 생각을 필요로 합니다. 특히 앞으로 나가야 할 방향을 고민하는 시기에는 선택이 더욱 쉽지 않죠. 많은 혼란과 답답함을 느낄 수밖에 없습니다. 하지만 우선 선택에 대한 자신감을 가지면 좋겠어요. 내가 해야 하는 선택은 그 누구도 대신해줄 수 없습니다. 나의 미래를 위한 선택은 나만이 할 수 있습니다. 그 선택들이 차곡차곡 쌓여 미래를 만듭니다. 결과가 어떨지는 아무도 모르지만 지금 내가 최선이라고 믿는 선택을 과감히 하면 됩니다.

내부통제 심리학자 윌리엄 글래서William Glasser는 '선택이론Choice theory'에서 각 개인의 선택을 강조합니다. 살면서 경험하는 모든 불행과 갈등이 내가 선택한 것들로부터 비롯되고 있다고 합니다. 내가 지금 하는 선택이 미래의 나를 행복하게 하는 선택인지 불행하게 하는 선택인지 알 수 없습니다. 그러므로 지금은 단지 주체적으로 삶을 결정하고 나중에는 그 결과를 의연하게 받아들이면 됩니다. 지금 최대한 신중히 고민하고 선택하되 내가 한 선택에 대해서는 뒤도 돌아보지 말고 전력투구하기 바랍니다.

어떤 선택을 하던 적극적인 모습으로 자신의 꿈을 쫓아가는 것이 중요합니다. 때론 새로운 꿈을 찾다 보면 인생이 괴로움과 고독함으로 가득할 수도 있습니다. 그렇다고 너무 괴로워하거나 외로워할 필요는 없습니다. 조금만 더 힘을 내면 내가 원하는 삶을 만들 수 있기 때문입니다. 내가 원하는 삶에서는 내가 주인공입니다. 꿈을 향해 이제 막 달리기 시작한 당신을 응원합니다.

## 32

# 이직을 많이 한 게 문제인가요?

20대 후반의 여성입니다. 2년제 대학을 졸업한 후 바로 취직해서 직장생활을 한 지 7년 차가 되었습니다. 그런데 지금 다니는 회사가 다섯 번째 회사입니다. 평균 1년 5개월에 한 번씩 직장을 옮긴 셈이죠. 가장 길게 다닌 회사가 2년이고 가장 짧게 다닌 곳은 한 달입니다. 지금 회사는 다닌 지 1년 조금 더 되었습니다.

그런데 요즘 들어 다시 회사를 그만두고 싶은 마음이 듭니다. 월급을 많이 주는 것도 아니고 전문성을 살릴 수 있는 일도 아니라는 생각이 들어서입니다. 회사 사람들과 친하게 지내는 것도 아니다 보니 이래저래 회사를 그만두고 싶은 마음이 굴뚝같습니다.

그만두려고 마음은 먹었는데, 엄마가 화를 내며 말리네요. 끈기도 없고 인내심도 없다고 말이죠. 왜 그렇게 회사를 오래 다니지 못하냐고 하면서요. '내가 정말 끈기가 없나? 내가 문제가 있는 건가?' 하는 생각이 들기도 합니다. 저 정말 문제가 있는 건가요? 회사를 자주 옮기는 것이 잘못된 건가요? ●

## 지금,
## 이 길을 가는 이유

직장생활 7년 차에 다섯 번째 회사라면 남들보다는 직장을 자주 옮긴 편이네요. 그동안 회사를 옮겼던 이유는 무엇일까요? 월급이 적어서? 전문성 있는 분야가 아니라서? 아니면 사람들과 재미있게 어울리지 못해서? 무엇이든 분명히 이유는 있었다고 생각합니다.

그런데 여기서 중요한 것은 이유 자체보다는 이유에 반응했던 방식입니다. 즉 문제 그 자체보다 문제를 바라보는 방식이 어떠했는지가 궁금합니다. 고대 그리스 스토아학파의 철학자인 에픽테투스Epictetus는 이렇게 얘기합니다.

> "인간은 객관적 현실에 의해서 고통받는 것이 아니라 그것에 대한 견해에 의해 고통받는다."

이는 주관적 인식의 중요성을 강조한 말입니다. 즉 같은 사건과 상황이라도 그것을 어떻게 받아들이고 해석하느냐에 따라 감정이 달라질 수 있다는 의미지요. 직장에서 무엇인가 마음에 들지 않는 점이 생겼을 때 보통 어떻게 대처하나요? 마음에 들지 않는 점을 마음에 들지 않는 상태 그대로 받아들이는 편인가요? 아니면 마음에 들지 않더라도 그것을 다른 방식으로 바라보려고 애를 써보는 편인가요?

사회생활이나 직장생활을 하다 보면 내 마음에 드는 상황 속에서만 일을 할 수는 없습니다. 때로는 마음이 맞지 않은 사람과 함께 있는 불편한 상황을 견뎌야 하고, 때론 납득할 수 없는 관례와 이해하기 힘든 직장 동료의 처신을 '그러려니' 하고 넘겨야 할 때도 있습니다.

연봉이 마음에 들지 않는 경우도 마찬가지입니다. 이직을 해야 할 만큼 연봉이 낮은 수준이라도 일이 마음에 들면 그대로 머물 수 있습니다. 반면 아무리 연봉이 높아도 일이 마음에 안 들면 미련 없이 그만둘 수도 있는 것이지요. 연봉이란 것이 나에게 얼마나 큰 의미를 주느냐에 따라 나의 생각과 판단은 달라집니다.

어떤 일을 결정할 때 사람마다 가치를 부여하는 우선순위는

다릅니다. 만약 내 마음에 우선순위가 제대로 정리되어 있다면 직장생활이 조금 더 순조로울 수도 있습니다. 하지만 우선순위가 정리되지 않는다면 여러 요소들이 뒤섞여 갈팡질팡 할 수밖에 없습니다. 내가 가장 중요시하는 가치가 명확히 있다면 그것을 만족시켜 주는 직장에서는 오랫동안 근무할 수 있습니다.

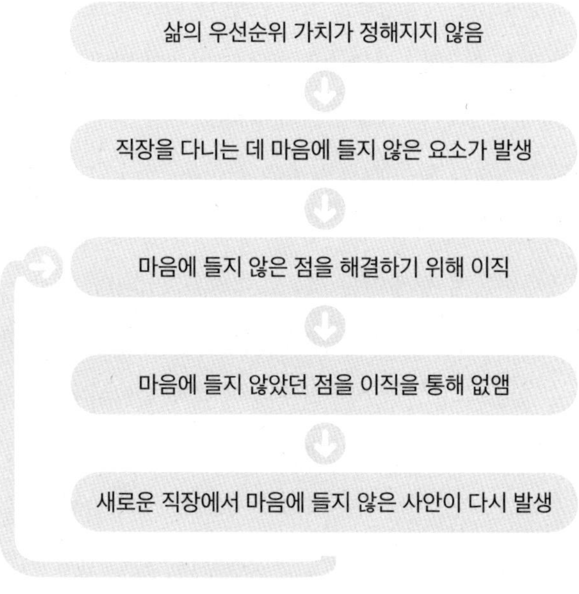

삶의 우선순위 가치가 정해지지 않음

↓

직장을 다니는 데 마음에 들지 않은 요소가 발생

↓

마음에 들지 않은 점을 해결하기 위해 이직

↓

마음에 들지 않았던 점을 이직을 통해 없앰

↓

새로운 직장에서 마음에 들지 않은 사안이 다시 발생

이런 패턴으로 직장생활을 하고 있다면 이직의 악순환 고리 속에 있는 것입니다. 이러한 구조는 두 가지를 해결해야 탈출할 수 있습니다.

첫 번째, 삶의 우선순위를 정해야 합니다. 인생은 짧습니다. 나에게 허락된 시간은 제한적입니다. 그러므로 모든 것을 동시에 추구할 수는 없습니다. 동시에 추구하다 보면 하나도 제대로 하기 어렵습니다. 누군가가 나에게 과일 5개를 동시에 던지면서 한꺼번에 받으라고 하면 받을 수 있을까요? 인생 역시 마찬가지입니다. 우리가 한 번에 많은 것을 받아내기는 어렵습니다. 인생 역시 선택의 연속입니다. 그리고 그 선택은 내가 추구하는 삶의 우선순위와 가치에 따라 순서대로 이루어져야 합니다. 사과를 먼저 받을지, 귤을 먼저 받을지, 바나나를 먼저 받을지 먼저 생각해봐야 하는 것이죠.

우리가 생각해볼 수 있는 삶의 우선 가치에는 돈, 명예, 계급, 인지도, 사랑, 행복, 헌신, 평화 등이 있을 수 있습니다. 수많은 가치 가운데 가장 중요하다고 생각하고 꼭 이루고 싶은 가치를 선택해야 합니다. 이 가치를 이루려면 먼저 삶의 과제를 먼저 찾아야 합니다. 삶의 과제란 내가 이번 생을 통해서 꼭 달성하고 싶고 이루고 싶은, 나 스스로 나에게 부여한 인생의 '숙제'입니다.

두 번째는 자동적인 부정적 사고를 바꾸는 것입니다. 자동적인 부정적 사고라 하면 특정한 상황에서 부정적인 심상과 생각을 습관적으로 떠올리는 사고패턴을 말합니다. 이는 심리학자 아론 벡Aaron Beck이 처음 주장했던 우울증 환자의 치료 방법 중 하나로, 우울증 환자들의 부적응적 행동이 부정적인 생각과 심상(이미지)에 의해서 촉발된다고 했습니다. 즉 부적응적인 행동을 하는 이유는 부정적인 생각을 먼저 하고 부정적인 이미지를 먼저 떠올리기 때문이라는 것이지요. 이러한 부정적인 생각과 이미지는 어떤 특정 상황이 발생하면 거의 자동적으로 작동하게 됩니다.

예를 들어 보겠습니다. 매달 모이는 모임에 좋아하는 선배가 있습니다. 그 선배만 보면 설렙니다. 그러다 보니 모임 날만 기다려집니다. 용기를 내어 선배에게 마음을 고백해보고 싶습니다. 그런데 예전의 불편한 기억들이 마음의 발목을 붙잡고 맙니다. 바로 이성에게 고백했다가 거절당한 경험입니다.

'이번에도 잘 안 되겠지?' 하는 과거의 경험으로 인해 이번에도 거절당할 것이라는 부정적인 생각을 자동적으로 하게 됩니다. 부정적 사고의 지배를 받으면 나도 모르게 행동에도 부정적 사고가 배어납니다. 고백을 하더라도 자신감 없는 모습으로 다가가고, 그런 자신감 없는 모습에 상대는 호감을 느끼지 못합니다. 이처럼 자동적인 부정적 사고가 배인 행동은 상대방에게 좋지 않은 인상을 일으키고, 실제로 부정적 인상으로 반응하게 합니다. 상대의 부정적 반응은 내 생각이 맞았음을 확신하게 합니다.

'아 역시 나는 안 되나 보네, 내 생각이 틀린 게 아니었어.'

부정적 결과는 어쩌면 우리의 부정적 사고에서 시작된 것일 수 있습니다. 처음부터 안 될 수밖에 없었던 것이 아니라 안 된다고 생각했기 때문에 안 된 것일 수 있습니다. 실력이 부족하거나 환경이 좋지 않아서가 아니라 처음부터 부정적으로 상황을 받아들였기 때문에 부정적인 상황으로 전개된 것입니다.

생각의 힘은 생각하는 것 이상으로 중요합니다. 생각대로 이 세상 모든 것을 바꿀 수는 없지만 태도는 바꿀 수 있습니다. 태도를 바꾸면 실제로 과정과 결과에도 영향을 미칩니다. 이직에 대한 고민 역시 마찬가지입니다. 회사에서 마음에 들지 않는 점이 발생하면 자동적으로 이런 생각이 듭니다.

'여기서는 이 문제가 해결 안 되겠지. 다른 회사로 가면 자연스레 해결될 거야.'

물론 지금 겪는 문제는 다른 회사로 가면 당장 없어질 수도 있습니다. 하지만 반드시 새로운 문제가 나타납니다. 새로운 문제가 발생할 때마다 다른 회사로 옮길 건가요? 회사에서 마음에 들지 않는 점이 있다면 일단은 회사 내에서 문제를 어떻게 해결할까 먼저 생각해봐야 합니다. 연봉이 문제라면 연봉을 올릴 수 있는 방법을, 전문성 있는 일을 하고 싶다면 전문성 있는 직무를 할 수 있는 방법을 회사 내에서 먼저 고민해봐야 합니다. 이직은 현재 상태에서 최대한 해결책을 찾아보고 그래도 해결이 되지 않는다고 느껴지면 그다음 해도 늦지 않습니다.

이 세상 모든 길은 저 마다 길이 난 이유가 있습니다. 단 하나도 의미 없는 길은 없습니다. 아무리 비좁고 불편한 길이라도 누군가는 그 길을 갔기 때문에 그 길이 있는 것입니다. 지금 가고 있는 길에 처음 들어섰던 이유가 분명 있을 겁니다. 그 이유에 대해 다시 한 번 곰곰이 생각해보고 나서 다른 길로 가는 게 좋을지 판단하기 바랍니다. 더불어 궁극적으로 닿고자 하는 목적지에는 어떤 길이 더 맞는지도 생각해보기 바랍니다.

## 33

# 친한 동료가 다른 직원과 어울리는 것을 보면 질투가 납니다

출판사에 다니는 경력 5년 차 디자이너입니다. 저는 사교성이 좋은 편이 아니어서, 학창시절에도 친구가 많지 않았습니다. 어린 시절부터 하나뿐인 친언니와 친구처럼 많은 시간을 보내곤 했습니다. 남동생이 있었지만 그리 친한 편은 아니었어요. 그러다 2년 전 지금 다니는 회사에 입사해서 마음이 잘 맞는 동료를 만났습니다. 동갑이고 관심 분야나 취미도 비슷해서 퇴근 후 자주 어울렸습니다. 그 동료 덕분인지 회사생활이 재미있었습니다.

그런데 몇 달 전 경력직 직원 한 명이 새로 들어왔는데, 저와 친하게 지내던 동료와 같은 학교 출신이었습니다. 그래서 그런지 둘은 금세 친해졌습니다. 저는 그 둘 사이가 가까워지면서 소외되는 것 같고, 외롭다는 느낌을 받았습니다. 어느 날 우연히 셋이 점심을 먹게 되었는데, 왠지 그 자리가 불편했습니다. 그 뒤 셋이 모일 일이 생기면 다른 약속이 있다고 핑계 대고 일부러 피하기도 했습니다. 며칠 전에는 둘이 휴게실에서 커피를 마시는 걸 봤는데, 저도 모르게 기분이 나빠졌습니다. 친한 동료를 빼앗긴 것처럼 느껴지기도 하고요. 한편으로는 이런 생각을 하는 제 자신이 너무 못난 것 같기도 합니다. 제가 이상한 걸까요? ●

## 나에게만 머무는 바람은 없다는 걸

아들러는 출생 서열이 인간의 성격 구조에 영향을 미친다고 보았습니다. 즉 첫째, 둘째, 셋째 등 출생 순서에 따라 세상을 바라보고 사람을 대하는 인식 구조가 달라질 수 있다고 주장한 것이죠. 그의 이론에 따르면 둘째로 태어난 사람의 기본적인 정서는 질투심입니다. 둘째의 위치에서는 열렬히 선두의 자리를 차지하고 싶은 욕구가 있다는 것이지요. 그러한 성향은 성인이 된 이후에도 남아 누군가 우월한 사람이 자기 앞에 있으면, 이를 매우 강렬한 극복 대상으로 인식합니다. 누군가를 이기고 싶은 욕구가 본인도 모르게 작동하는 것이지요. 그래서 친밀감보다는 경쟁심, 질투심 등을 먼저 느끼게 됩니다. 그러다 보니 배려하고 친화적인 인간관계보다는 자기 지향적이고 경쟁적인 인간관계에 머무를 가능성이 커집니다. 운 좋게 마음에 드는 사람을 만나면 그만큼 많은 의지하게 되지요. 많이 의지했던 사람이 나 아닌 다른 사람과 어울리는 모습을 보면 상실감에 다시 질투심과 경쟁심이 고개를 들 수 있습니다.

'질투'란 감정은 사랑하는 연인들 사이에서뿐만 아니라 직장 동료에게서도 나타날 수 있습니다. 죽이 잘 맞는 직장 동료에게 질투심을 느끼는 것은 지극히 자연스러운 감정입니다. 이상한 감정이 아니라는 것을 말씀드리고 싶습니다.

나와 죽이 잘 맞는 동료가 다른 직원과 어울리는 모습을 보면 외롭고 소외되는 감정을 느끼는 이유는 무엇일까요? 그건 아마 내가 최근 느끼는 친밀감의 대부분을 그 동료에게서 느끼고 있었기 때문입니다. 그와의 관계를 통해 그동안 가졌던 친밀감에 대한 열등감을 어느 정도 보상받았던 것이지요. 그런데 내가 그에게 의존하고 있는 것처럼 그도 나에게 많은 의존을 한다고 생각해서는 곤란합니다. 그의 인간관계 속에는 나뿐만 아니라 다른 사람도 분명히 있기 때문이지요. 나에게는 그가 친밀감의 주된 제공자이지만 나는 그에게 주된 친밀감 제공자가 아닐 수 있습니다. 나 스스로 소외되었다는 생각을 지속적으로 하다 보면 감당하기 힘든 우울로 발전할 수 있습니다.

질투심은 사람을 참 힘들게 합니다. 사랑하던 사람이나 좋아하던 사람을 괜히 밉게 만들기도 하고, 특별한 잘못이 없는 제3자를 이유 없이 시기하고 경멸하게 만들기도 합니다. 이런 감정은 자신을 더욱 힘들게 할 뿐입니다. 감정 조절은 스스로 노력해야 합니다. 인간관계는 소유할 수 있는 것이 아닙니다. 사랑하는 그 무엇도 완벽한 내 것이 될 수는 없습니다. 내가 좋아하고 아끼는 사람의 마음 역시 마찬가지입니다. 타인의 마음은 그 마음 그대로 존중하고 인정해주어야 합니다. 내가 누군가와 죽이 잘 맞듯 그에게는 죽이 잘 맞는 또 다른 누군가가 있을 수 있습니다.

사람 역시 자연의 일부입니다. 내 주위에 바람이 있고 물이 있고 산이 있듯 사람도 내 곁에 있는 것입니다. 바람과 물이 잠시 머물 듯 사람 역시 잠시 내 옆에 머뭅니다. 누군가는 금방 떠나고 누군가는 좀 더 오래 머무는 차이입니다. 언젠가 모두 떠나가는 것은 자연이든 사람 사이든 동일합니다. 내 옆에 머물던 바람이 다른 이에게로 가 그의 땀을 닦아줄 때 서운함과 소외감을 느끼나요? 그렇지는 않을 겁니다. 그러니 내가 좋아하는 사람이 다른 사람과 즐겁게 어울리는 모습을 보더라도 소외감을 느끼지 마세요. 바람이 불듯 사람의 마음도 움직이는 것입니다.

친구가 많아야 꼭 좋은 것은 아니지만 마음을 나눌 수 있는 소중한 친구 한두 명쯤은 만들었으면 좋겠습니다. 나와 마음이 잘 맞고 많은 이야기를 나눌 수 있는 친구는 나에게 분명 큰 위로와 힘이 되어줍니다. 그런 친구를 사귀려면 많은 사람을 만나봐야 합니다. 가만히 앉아 있는데 마음 맞는 사람들이 알아서 찾아오지는 않기 때문입니다. 마음 맞는 사람들끼리는 척 보면 알 수 있는 텔레파시 같은 기술이 있다면 모르겠지만요. 그런 초능력은 존재하지 않기 때문에 그만한 노력을 해야 합니다. 그 노력은 다름 아닌 내 마음의 문을 활짝 열어두는 것입니다.

마음 가운데는 응접실이 하나 있습니다. 그 응접실은 차를 마시며 책을 보기도 하고, 잠시 나른한 낮잠을 청하기도 하는 아늑하고 평온한 공간입니다. 그 마음 응접실의 문을 활짝 열어두세요. 많은 사람이 놀러오고 또 마음대로 나가도록 허락해주세요. 누군가 응접실 안으로 들어와 말을 걸면 따뜻하게 답해주세요. 누군가 마음을 터놓고 얘기를 시작하면 가만히 그 얘기를 들어주세요. 바쁘다는 핑계로 마음의 응접실 문을 닫고 손님들을 그냥 돌려보내지 마세요. 지금까지는 응접실 문이 닫혀 있어 많은 손님이 오지 못했습니다.

많은 사람을 만나다 보면 누군가는 금방 떠날 것이고, 누군가는 더 오래 머물고 싶어 할 겁니다. 누구를 더 머물게 하고, 누구를 빨리 떠나도록 재촉할 것인지 나만 선택할 수 있습니다. 내 마음이니까요. 하지만 처음부터 문을 닫고 있으면 내가 선택할 수 있는 사람은 없습니다. 아무도 찾아오지 않기 때문이죠. 오랜 시간이 지난 후 어쩌다 마음에 드는 손님을 만나면 그 손님이 오래 마음 응접실에 머물기를 바라겠죠. 그러니 그 손님이 다른 사람의 마음 집으로 놀러 가는 것을 참지 못하는 겁니다. 그런데 그 사람의 마음을 막을 수는 없잖아요. 그 사람을 내 마음 속에 들일 권리가 내게 있듯이, 그 사람 역시 다른 사람의 마음으로 옮겨갈 권리를 가지고 있습니다.

가끔씩은 가만히 앉아 기다리기만 하지 말고 마음의 문을 활짝 열고 바깥으로 나가 보세요. 밖으로 나가 더 많은 사람을 만나고 더 많이 경험해보세요. 바깥세상에는 나와 잘 맞지 않은 사람도 있을 수 있고 생각보다 죽이 잘 맞는 사람이 있을 수도 있습니다.

내가 소유할 수 있는 것은 내 마음뿐입니다. 내 마음을 바꾸어 더 많은 사람과 친밀한 관계를 맺어보세요. 더 많은 사람을 만나보고 더 많은 사람에게 마음의 문을 열어보세요. 그러면 특정한 누군가에 얽매이지 않는 관계의 유연함을 가질 수 있을 것입니다.

34

# 저는 조직에 맞지 않는 인간형 같습니다

처음 취업했을 때는 정말 좋았습니다. 회사생활에 잘 맞을 것이라는 믿음도 있었습니다. 그러나 7년이 지난 지금은 제 성격이 조직생활과 '너무 안 맞다'는 생각입니다. 적응하기도 어렵고, 그 안에서의 갈등과 관계에 불편함을 느낍니다. 가끔씩은 회사가 이익 창출을 위해 사람들을 비인간적으로 대하는 모습을 볼 때마다 좌절하고 실망합니다. 사람들은 기회만 되면 다른 사람을 험담하고 비난하는 습관에 익숙해져 있는 것 같아요. 그런데 그런 분위기에 있다 보니 저도 모르게 조직에 대한 불평불만을 내뱉고, 그들과 똑같이 남을 험담하고 있더군요.

생각해보면 저는 어린 시절 학교 다닐 때부터 정해진 규칙과 짜인 인간관계 속에서 지내는 것을 남들보다 많이 힘들어했던 것 같습니다. 지금이라도 혼자 할 수 있는 일을 찾아야 할까요? 아니면 조직 속에서 어떻게든 답을 찾아야 할까요? ●

## 나와 맞거나 맞지 않는 조직이 있을 뿐

회사는 이익창출을 위한 곳입니다. 그러다 보니 직원들은 매정한 상황에 노출될 때도 있습니다. 아무리 성격 좋은 사람이라도 업무 실적이 나쁘고 회사 환경이 어려우면 회사로부터 좋은 평가와 대접을 받지 못하는 경우도 많고요. 때론 허무함과 절망감에 빠지기도 하지요. 때론 내가 더 잘되기 위해서 남을 짓밟고 올라서기도 합니다. 어차피 올라갈 수 있는 자리는 제한적이기 때문입니다.

직장생활은 거의 언제나 경쟁의 연속입니다. 내가 잘되기 위해서는 남들과의 경쟁에서 이겨야 합니다. 그런 구조 자체가 '좋다, 나쁘다'라고 말할 수는 없습니다. 그것은 회사라는 조직의 한 특성인 것이지요. 이런 구조가 삶의 과제와 맞지 않을 수 있습니다.

인생에서 삶의 과제를 찾는 것은 무엇보다 중요하다고 했습니다. 나를 살아 있게 하며 나에게 행복감을 가져다주는 것은 무엇일까요? 삶의 과제가 있는 사람은 삶에 임하는 태도가 다릅니다. 삶의 유혹에 쉽게 흔들리지 않으며, 고된 순간을 만나도 쉽게 포기하지 않습니다. 직장생활을 계속 하는 것이 좋을지 아니면 혼자 하는 일을 하는 것이 좋을지를 결정하는 것보다 삶의 과제가 무엇인지를 찾는 게 더 우선입니다.

아들러는 성격이란 삶의 과제에 대처하는 정신의 특별한 표현 방법이라고 정의합니다. 즉 성격을 이야기함에 있어 자신이 추구하는 삶의 과제를 빼놓을 수 없다는 말입니다. 어떤 삶의 과제를 추구할 것이냐에 따라 성격까지 달라질 수 있습니다.

성격은 타고나는 것이 아닙니다. 아들러의 성격 이론에 따르면 조직생활과 잘 맞지 않는 성격은 따로 없습니다. 단지 내가 추구하는 삶의 과제와 잘 맞지 않는 조직이 있을 뿐입니다. 자신이 속한 조직에 불편함을 느낀다면 아마도 조직이 추구하는 목표와 삶의 과제가 잘 맞지 않을 가능성이 높습니다. 삶의 과제를 먼저 정의한 후 그 삶의 과제가 현재 조직이 추구하는 방향과 얼마나 부합하는지를 살펴보는 게 좋겠습니다.

현재 자신이 가진 성격이 어떤 특징들을 가지고 있는지 생각해보세요. 찾아낸 과제가 현재 내가 근무하는 직장에서 충분히 실현할 수 있다면 조직에 남아 있는 것도 괜찮습니다. 하지만 찾아낸 삶의 과제가 현재의 직장과 잘 맞지 않다면 과감히 다른 직장을 찾아봐야 합니다. 중요한 것은 회사를 떠날 것이냐 말 것이냐가 아니라 삶의 과제를 찾고 조직이 삶의 과제와 얼마나 부합하는지를 판단하는 것임을 잊지 않았으면 좋겠습니다.

35

## 새로운 일을 하고 싶은데 나이 때문에 주저하게 됩니다

품질관리부서에서 일하고 있습니다. 사랑하는 남편과 아이 둘이 있습니다. 결혼생활은 만족스러워요. 그런데 요즘 회사 일로 고민이 생겼습니다. 지금 하는 일은 어렵지 않고 별로 힘도 들지 않습니다. 오히려 단순한 일을 반복적으로 하다 보니 업무 자체는 편합니다. 하지만 얼마 전부터 뭔가 창의적이고 생산적인 일을 하고 싶다는 생각이 자꾸 듭니다. 그래서 이직을 고려 중입니다. 문제는 나이입니다. 30대 후반인 제 나이에 무엇을 새로 시작한다는 것이 망설여지고 불안합니다. 어떤 회사에서 저를 받아줄지도 모르겠고요. 그래도 더 늦기 전에 좋아하는 일을 시작하는 게 맞겠죠?

## 시작하는 지금이
## 바로 최적의 시기

매일 똑같은 일만 하다 보면 당연히 재미도 없고 싫증도 나겠죠. 지금 하는 일을 계속하자니 약간은 지겨운 생각도 들고, 그렇다고 새로운 일에 도전해보자니 지금까지 한 일이 아깝고 두렵기도 한 직장인들의 고민을 십분 이해합니다.

좋아하는 일을 하는 것은 좋다고 생각합니다. 어차피 한 번뿐인 인생, 내가 하고 싶은 일, 내가 잘하는 일을 하면서 사는 게 맞습니다. 그런데 새롭게 일을 시작할 때는 새로운 일을 배우기 위해 주위 사람들에게 물어봐야 하는 수고와 창피함도 견뎌내야 합니다. 그럼에도 불구하고 단순한 업무보다는 창의적이고 생산적인 일을 하고 싶어 하는 마음에 동감합니다. 업무의 편안함보다는 힘은 좀 들더라도 좀 더 도전적이고 꼭 해보고 싶은 일이 있다면 용기를 내 시작하라고 말하고 싶네요. 새로운 일을 하고 싶은 마음이 간절할수록 지금 도전하지 않는다면 언젠가는 후회할 테니까요.

후회에는 한 일에 대한 후회와 하지 않은 일에 대한 후회가 있다. 그런데 심리 실험결과, 어떤 일을 하고 나서 짧은 기간 동안에는 한 일에 대한 후회를 많이 하지만 시간이 지날수록 하지 않은 일에 대한 후회를 더 많이 하는 것으로 나타났다.

《스마트한 심리학 사용법》, 펄커 키츠 마누엘 투쉬

심리학에서는 할까 말까 고민할 때는 하는 것이 낫다고 얘기합니다. 결혼은 해도 후회, 안 해도 후회라는 말이 있잖아요? 그럴 바에는 하고 나서 후회하는 게 낫다는 얘기입니다. 그런데 안타깝게도 우리는 할까 말까 고민하다가 결국 하지 않는 쪽으로 더 많은 선택을 하는 것 같아요. 예를 들어 볼까요? 회사의 매출과 이익이 그럭저럭 유지가 되는 상황에서는 많은 팀원이 높은 위험을 감수하면서까지 새로운 아이디어 개발에 열정을 쏟아 붓지 않습니다. 괜히 새로운 사업을 시작했다 실패하면 그 책임이 고스란히 자기에게 올 수도 있다고 생각하기 때문입니다.

길을 가다 쓰러진 사람을 발견하면 순간적으로는 그 사람에게 다가가야 하나 고민합니다. 괜히 도움을 주려다가 상황이 더 악화될 수 있다는 생각 때문이죠. 이직을 할까 말까 고민하지만 쉽게 결정하지는 못하는 것은 이직을 해서 현재의 직장보다 더 나아진다는 보장이 없기 때문입니다. 어쩌면 시간을 절약해 줄 새로운 출근길을 발견해도, 결국 매일 가던 길로 가고 말지요. 새로운 출근길에 도전했다가 괜히 지각이라도 하면 어떡할까 싶어서요.

심리학에서는 결국 이렇게 하지 않는 경향을 '부작위 편향不作爲 偏向, omission bias'이라는 개념으로 설명합니다. 이것은 어떤 행동을 했을 때 발생하는 손실이, 아무것도 하지 않았을 때 발생하는 손실보다 더 크다고 판단하는 경향을 말합니다. 굳이 무언가를 해서 발생할 손해보다 차라리 가만히 있다가 발생할 손실이 더 적다고 판단하는 심리적 경향입니다. 그냥 가만히 있으면 중간이라도 간다고 생각하는 것이죠. 아무것도 하지 않아도 되니까 순간 마음은 편안해집니다.

할까 말까 고민하다가 결국 하지 않는 마음은 이렇게 설명할 수 있습니다. 무엇을 새로 시도해서 발생할 수 있는 리스크를 감당하기 싫기 때문입니다. 하지만 우리는 이러한 부작위 편향을 극복해야 합니다. 왜냐하면 새로움에 대한 추구 없이는 항상 그 자리에 머무를 수밖에 없기 때문입니다. 새로움에 대한 도전이 없다면 실패도 없습니다. 하지만 성장도 없습니다. 자전거를 타다 넘어지는 것이 두렵다면 아마 평생 자전거를 타지 못 타겠죠. 넘어질 각오를 해야 자전거를 배울 수 있듯이 새로운 길로 가봐야 새로운 성공의 경험도 가져갈 수 있습니다.

무엇인가 새로운 것을 시작하는 데 나이는 크게 중요하지 않습니다. 해보고 싶은 것도 없고 아무런 꿈도 없이 하루를 살아가는 20대보다 하고 싶은 것이 무엇인지 명확히 알고 그 꿈을 향해 새롭게 도전하는 40대가 더 희망차다고 생각합니다.

나이를 두려워할 필요는 없습니다. 나이 자체는 별 것 아닙니다. 나이가 상관없이 하고 싶은 일이 있다면, 그리고 실제로 시작한다면 그때가 바로 최적의 시기입니다. 무슨 일을 시작하기에 좋은 때는 따로 없습니다.

KFC의 창업자인 커넬 샌더스Harland David Sanders는 40세에 처음 닭을 튀기는 카페를 만들었습니다. 그리고 닭요리 개발에만 9년을 몰두해 결국 성공을 거둡니다. 그런데 65세에 파산을 하고 맙니다. 65세에 파산이라니 정말 눈앞이 캄캄하지 않았을까 싶네요. 하지만 65세의 그는 포기하지 않고 사업 재건을 도와줄 투자자를 끈질기게 찾아다닙니다. 1,008번을 거절당하고, 마침내 1,009번째 투자자로부터 투자 약속을 받아냅니다. 그렇게 오늘날의 KFC가 탄생하게 됩니다.

무엇을 새로 시작함에 있어 나이 때문에 머뭇거릴 필요는 없습니다. 지금 나이가 많은 사람이나 적은 사람이나 100년 뒤에 없기는 마찬가지입니다. 해보고 싶은 일이라면, 보람과 행복을 느끼는 일이라면 꼭 한 번 해보기 바랍니다. 꼭 해보고 싶은 일을 용기 내어 시작해보는 지금이 시작하기에 가장 좋은 때입니다.

36

# 죽고 싶지만 부모님께 맛있는 것은 사드리고 싶습니다

20대 중반입니다. 취업 준비생이며 하루 종일 집에 있습니다. 아침에 눈을 뜨면 밥을 먹는 것도 세수하는 것도 일어나는 것조차 힘이 들 정도로 무기력합니다. 취미생활이라도 즐겁게 해보려 용기를 내다가도 완벽히 잘하지 못하면 안 될 것 같은 의무감에 시작도 못하고 있습니다. 그냥 이대로 죽고 싶은 생각밖에 없습니다.

어차피 죽는 거 일찍 죽는 게 나은 거 아닌가 하는 생각도 듭니다. 나중에 부모님이 돌아가실 때 겪을 아픔을 떠올리면 차라리 먼저 세상을 떠나고 싶을 정도입니다. 자립하는 것이 무섭고 혼자 남겨질 미래가 너무 무섭습니다. 머리로는 죽고 싶다고 생각하는데 부모님을 생각하면 하루라도 빨리 취업해서 부모님께 맛있는 것을 사드리고 싶은 생각도 듭니다. 효도하고 싶으면서 제가 먼저 세상을 떠나려는 것이 어쩌면 모순 같기도 하네요.

이런 혼란스러운 마음을 어찌 해야 할까요? ●

## 죽음에 대한 생각은 삶을 생각한다는 것

상당히 힘든 시기를 보내고 있네요. 하루 빨리 취업해서 부모님께 맛있는 것을 사드리고 싶은 마음과 극도의 무기력감으로 인해 좋지 않은 선택까지 생각하고 있는 상황이군요. 물론 그 마음이 스스로 생각하기에 모순처럼 느껴질 수도 있습니다. 하지만 저는 그 두 가지 마음이 모두 이해가 됩니다.

청소년 시절의 저는 공부를 열심히 해서 부모님을 기쁘게 해드려야 한다고 생각했습니다. 그런데 한편으로는 결국 언젠가는 우리 모두 죽을 텐데 이렇게 열심히 살아서 뭐하나 하는 생각도 들었습니다. 언젠가는 결국 죽는다는 생각을 하니 어느 순간 모든 것이 허무했습니다. 내가 없어도 해는 다시 뜰 것이고 달은 다시 질 것이며 바람은 불고 새싹은 자라 날 것이란 생각을 하니 제 자신이 너무 힘없고 부질없이 느껴졌지요. 내가 없는 세상도 아무런 문제없이 잘 돌아갈 것이라 생각하니 모든 것이 의미가 없게 느껴졌습니다. '이런 거라면 차라리 죽는 게 낫겠다'라는 생각이 들기도 했지요.

맞습니다. 죽음이 온다면 우리가 피할 수 있는 대상은 아닙니다. 언젠가 한 번쯤 반드시 마주해야 합니다. 하지만 언젠가 만날 대상이라고 해서 굳이 앞당겨 만날 필요는 없습니다.

죽음에 대한 생각은 20대에도 이따금씩 찾아왔습니다. 그리고 미래에 대한 허무와 불안을 만들어냈습니다. 불안한 미래에서 빨리 탈출하기 위해 무엇이라도 하루 빨리 확실하게 해두고 싶었습니다. 빨리 인생의 목표를 정하고 싶었고 빨리 취업도 하고 싶었습니다.

그런데 빨리 달려가고 싶었지만 정작 어디로 달려가야 할지 몰랐습니다. 어서 안정된 생활을 하고 싶었지만 어떻게 해야 하는지 그 방법이 보이지 않았습니다. 악몽도 자주 꾸었습니다. 아무리 열심히 달려도 앞으로 나아가지 않는 그런 순간들을 꿈속에서 자주 경험했습니다. 당시 느꼈던 감정들이 꿈속에 그대로 나타난 것이 아니었나 싶어요. 어떻게 해도 불안을 쉽게 떨쳐 낼 수는 없었거든요. 그러다 결국은 그 불안을 인정하고 그 불안과 함께 살아가기로 결심했습니다. 그런데 신기하게도 불안을 인정하니 불안감이 좀 줄어들었습니다. 그 후로는 불안을 없앨 수 있는 방법보다 불안을 인정하고 불안과 함께 살 수 있는 방법을 찾게 되더군요. 삶에 있어 불안감은 지극히 자연스러운 감정임을 깨달았습니다.

덴마크 철학자 쇠렌 키에르케고르Sören Kierkegaard는 우리 삶은 본질적으로 불확실하며 매 순간 선택과 관련해 실존적 불안이 존재한다고 주장했습니다. 그러므로 불안은 지극히 자연스러운 것이며, 인간을 존재하게 하는 기본 조건인 셈이지요. 그는 특히 불안은 진실한 삶을 살게 하는 바탕이라고 강조합니다. 사람은 불안을 느끼면서 더 나은 상황과 마음가짐을 탐색하게 되고, 그러한 탐색을 위해 자신과 세상을 좀 더 깊이 있게 들여다보기 때문이라 합니다. 그에 따르면 불안은 진실한 삶을 살기 위한 과정입니다. 이런 과정을 통해 더욱 성장할 수 있고 바라는 삶에 가까이 갈 수 있습니다. 그러므로 20대 중반을 보내고 있는 젊음이 느끼는 불안감 역시 누구나 경험하는 지극히 자연스럽고 고귀한 감정임을 이해하면 좋겠습니다.

부모님이 떠나고 혼자 남겨지는 상황에 대해서 두려움을 느낄 수 있습니다. 부모님은 우리에게 말할 수 없이 소중한 존재이니까요. 우리를 이 세상에 있게 해주신 소중하고 감사한 분들이죠. 하지만 그렇다고 영원히 함께할 수는 없습니다. 함께할 수 있는 시간은 정해져 있습니다. 누구도 그 이상 영원토록 함께할 수는 없습니다.

그러기에 힘이 되고 의지할 수 있는 사랑하는 사람을 점차 늘려 나가야 합니다. 연인이 될 수도 있고, 친구, 또 다른 가족이 될 수 있습니다. 그리고 누구보다 자신에 대한 사랑과 의지를 늘려 나가길 바랍니다. 이 세상에서 나를 가장 든든히 지켜줄 사람은 바로 나이기 때문입니다.

하루 빨리 취업해서 부모님께 맛있는 것을 사드리고 싶다는 말에 뭉클했습니다. 부모님에 대한 사랑, 감사, 죄송함 이 모든 것들이 한꺼번에 느껴졌기 때문입니다. 그런데 만약 자식이 먼저 이 세상에 존재하지 않는다면 부모님의 마음은 어떨까요? 부모님이 안 계신 상황을 견뎌내기 힘든 것 이상으로 부모님은 자식이 없는 상황을 견디기 힘들어할 것입니다.

사랑하는 사람과 언젠가는 이별해야 한다는 생각 때문에 우린 종종 괴로워합니다. 그때마다 정말 '죽음'이란 것에 대해 깊게 생각하게 되지요. 계기가 어찌되었건 삶을 생각하는 것만큼 죽음도 매우 중요합니다. 삶과 죽음은 하나로 이어져 있기 때문입니다.

어떤 죽음을 맞이할 것인지에 대해 깊게 생각하는 것 자체가 어떤 삶을 살아갈 것인지에 대한 가장 명쾌한 답이 될 것이라 믿습니다. 죽음에 대해 생각해본다는 것은 그만큼 삶에 대해서 많은 고민을 했다는 의미일 테니까요. 결국 그만큼 삶에 대한 의지를 많이 가지고 있다는 얘기입니다.

누구에게나 힘든 시기는 있습니다. 고통 없이 모든 것을 완벽히 해낼 수는 없습니다. 어떤 일을 완벽히 끝내지 못할까 두려워하지 말고 일단은 시작해보는 것이 중요합니다. 지금 당장 끝마치지 못해 고통을 느끼더라도 인생이라는 긴 시간에서 보면 하나하나 큰일을 해내고 있는 것일 수 있습니다.

일은 마치지 못해도 괜찮습니다. 마치지 못한 경험이라도 남기 때문입니다. 지금의 경험은 다른 일을 마치는 데 중요하게 활용될 수 있습니다. 일을 마치지 못할 것을 두려워해 시작조차 하지 않는다면 아무런 경험도 가질 수 없습니다.

나는 다른 어떤 시기보다도 나 자신의 생애에서 가장 힘들었던 시간에 깊이 의지하고 있는 것이 아닐까 하고 자주 자문해왔다. (중략) 나의 오랜 병약함에 관해 말하자면, 나는 건강보다도 병약함에 말할 수 없을 정도로 많은 덕을 입었다. (중략) 나의 철학조차도 이 병약함에 빚지고 있는 것이다.

니체

프리드리히 니체Friedrich Nietzsche 역시 자신의 철학을 완성하는 데 건강함이 아닌 자신의 병약함에 감사를 느끼고 있습니다. 만약 그가 아프고 고통이 없었다면 많은 생각과 경험을 하지 못했을 것입니다. 지금의 괴롭고 절망스런 순간은 결국 나를 더 빛나게 성장시킬 것입니다. 그렇게 믿어야 합니다. 오늘의 힘겨움을 바라보며 '그땐 그랬지' 하며 회상할 수 있는 날이 곧 올 것이란 사실을 절대 잊지 않길 바랍니다.

## 37

# 작은 회사에
# 다니다 보니
# 마음 붙이기가 어렵습니다

회사가 작다 보니 사회에서의 제 위치도 작아지는 느낌입니다. 처음 만난 사람에게도 그냥 회사에 다닌다고 말하지 정확한 회사명을 말하는 경우는 거의 없습니다. 말해도 상대가 잘 모를 테니까요. 월급이 적은 건 상관없는데, 사람들의 시선은 신경 쓰입니다. 더욱이 지금 하는 일도 마음에 들지 않습니다. 단조로운 일이라 흥미를 붙이기도 어렵습니다. 다른 일도 잘 해낼 것 같은데 제게 주어진 일은 너무 뻔합니다. 그러다 보니 일주일에 한두 번은 구직 사이트를 들락거립니다. 혹시 옮길 만한 좋은 회사가 있을까 싶어서요. 괜찮은 회사에서 공지가 뜨면 그 회사에 입사해서 멋지게 차려입고 출근하는 상상을 하며 시간을 보냅니다. 언제까지 이곳에서 그저 그런 일을 하며 시간을 보내야하는지, 이렇게 가는 청춘이 속상합니다. ●

## 지금 하는 일을
## 좋아하도록 노력해보는 게 먼저

사람은 다른 사람의 시선에 많은 신경을 쓰며 살아갑니다. 그래서 왠지 좀 더 좋고 큰 차를 타야 할 거 같고, 여름휴가 때는 국내여행보다는 가까운 해외라도 다녀와야 할 거 같습니다. 그래야 사람들에게 '어디 갔다 왔다'고 자신 있게 얘기할 수 있을 것 같습니다.

초등학교에서는 방학이 끝나고 개학을 하면 방학 동안 있었던 일 가운데 기억에 남는 일을 그림으로 그려 발표하는 시간을 갖는다고 합니다. 여행을 한다거나 뭔가 특별한 경험을 한 것을 서로 나누기 위해서인데, 언젠가부터 아이들은 다녀온 여행지에 더 신경을 쓰게 되었다고 합니다.

'엄마! 친구들은 이번 여름 방학 때 유럽 다녀왔대. 우리는 유럽 언제 가?'

이런 얘기를 들은 엄마는 그다음 방학 때는 무조건 해외에 나갑니다. 내 아이가 다른 아이들 앞에서 기죽는 게 싫기 때문이죠. 이쯤 되면 추억을 쌓고 즐겁기 위해 여행을 가는 것인지 발표를 하기 위해 여행을 가는 것인지 헷갈릴 정도입니다.

저는 멋 부리기를 좋아했습니다. 한 번을 입더라도 맵시 나고 근사하게 옷을 입고 싶었습니다. 그러다 보니 다리를 더 길어 보이고 좀 더 근사하게 보이도록 스키니진을 즐겨 입었던 적이 있습니다. 제 눈에도 좀 근사해 보이는 것 같았습니다. 그런데 바지가 너무 꽉 끼었습니다. 옷맵시에는 날지 몰라도 꽉 끼는 바지는 불편했습니다. 무릎을 구부리고 앉기 쉽지 않았고, 꽉 끼다 보니 너무 답답했습니다. 더구나 살이 찌는 바람에 허리 부분이 너무 조여 벨트 자국이 생길 정도였지만 참았습니다. 멋지게 보이려면 이 정도 불편함은 참아야 한다고 생각했거든요. 남들의 시선과 저의 불편함을 맞바꾼 셈이었지요. 너무나 불편했지만 '멋'에 대한 일념 하나로 버텼습니다. 그러던 어느 날이었습니다. 불편함을 도저히 참기 어려워 일반 바지를 입었는데 정말 너무 편했습니다. 그래서 생각했습니다.

'남들 시선이 뭐가 그리 중요한가, 내가 편한 게 좋은 거 아닌가?'

그 이후로는 입기 편한 바지를 선택합니다. 남들의 시선을 조금 포기하는 대신 나의 편안함을 선택했던 것이지요.

작은 회사를 다니다 보면 사회에서의 나의 위치도 작고 낮게 느껴질 수 있습니다. 사회가 그 사람이 속한 조직이나 하는 일에 따라 사람을 평가하는 경향이 없다고는 말할 수 없습니다. 하지만 그렇다고 해서 꼭 그것만 신경써야 하는 것은 아닙니다. 내가 다니는 회사의 규모와 상관없이 내가 현재를 만족할 수 있고 행복할 수 있으면 됩니다. 내가 다른 사람의 시선 때문에 회사를 다니는 것은 아니잖아요?

다른 사람의 시선은 다른 사람의 시선일 뿐입니다. 내 가치는 내가 다니는 회사의 규모에 따라 결정되는 것이 아니라 내 자신의 만족과 행복에 의해서 결정됩니다.

물론 좋아하는 일을 하면 좋습니다. 하지만 당장 좋아하는 일을 할 수 없는 상황이라면 일단은 지금 하는 일을 좋아해 보는 것도 방법입니다. 행복감은 '좋아하는 일을 내가 지금 하고 있느냐'보다도 '지금 내가 하는 일을 얼마나 좋아할 수 있느냐'에 의해서도 영향을 받기 때문입니다.

행복의 비밀은 자신이 좋아하는 일이 아니라 자신이 하는 일을 좋아하는 것이다.

앤드류 매튜스

가장 쉽게 행복을 느끼는 방법은 지금 하는 일을 좋아하는 것입니다. 지금 하는 일이 마음에 들지 않아 막연히 하기 싫은 것이라면 우선 그 일을 좋아하도록 노력해보는 것은 어떨까요?

그렇다고 무조건 현실에 안주하라는 의미는 아닙니다. 물론 자신이 정말로 하고 싶은 일이 있고 어떤 일을 해야 할지 명확히 알고 있다면 다릅니다. 하지만 진정으로 자신이 원하는 것이 무엇인지도 모른 채 단지 현 상황을 탈피하려는 마음은 문제 해결에 근본적으로는 도움이 안 된다는 것이죠.

내가 좋아하는 일을 할 수 있도록 준비하는 것도 중요하지만 내가 지금 하는 일을 좋아하도록 노력해보는 것도 중요합니다. 항상 내가 좋아하는 음식만 먹을 수 없는 것처럼 항상 내가 좋아하는 일만 할 수는 없습니다. 음식에서 즐거움을 얻는 가장 손쉬운 방법은 내가 지금 먹는 음식을 '좋아하는 것'입니다.

베트남 음식에는 '고수'가 많이 들어갑니다. 처음 베트남 쌀국수를 먹을 때 잘 모르고 고수를 넣어 먹었다가 충격적인 맛에 좌절했던 경험이 있습니다. 그다음부터는 베트남 쌀국수를 먹을 때 고수를 무조건 빼고 먹었습니다. 그런데 먹을 때마다 매번 딸려 나와 테이블 한쪽에 놓이는 고수가 계속 눈에 걸렸습니다. 왠지 제가 고수를 무시하는 것 같기도 하고, 베트남 쌀국수의 진정한 맛을 모르고 먹는다는 생각이 들기도 했습니다. 그래서 고수를 좋아해보기로 마음먹었습니다. 그렇게 마음먹고 먹어보니 처음과 달리 먹을 만했습니다. 강한 맛에 대한 거부감이 남아 있긴 했지만 먹을수록 괜찮아졌습니다. 지금은 고수 없는 쌀국수는 생각할 수도 없게 되었습니다. 좋아하지 않았지만 좋아하려고 노력하니 바뀌더라고요.

일도 마찬가지일 것 같습니다. 지금 내가 하는 일이나 회사가 마음에 들지 않을 수 있습니다. 하지만 일과 회사를 좋아해보려고 마음은 먹어볼 수 있습니다. 하루아침에 바뀌지는 않겠지만 그런 마음을 먹고 노력하는 것만으로도 좋은 느낌을 받을 수 있습니다. 그렇게 노력이 쌓이다 보면 실제로 좋아하게 될 수 있습니다. 물론 바뀌지 않을 수도 있지만 중요한 것은 노력해봤다는 것입니다. 그 노력이 지금 당장은 효과가 없어보일지는 몰라도 분명 일과 회사를 다시 한 번 바라보게 하는 중요한 계기가 될 것입니다.

# 참고 문헌

《아들러의 인간이해Understanding Human Nature》, 알프레드 아들러Alfred Adler, 을유문화사, 2016

《스마트한 심리학 사용법Warum uns das Denken nicht in den Kopf will》, 폴커 키츠 · 마누엘 투쉬Volker Kitz, Manuel Tusch, 갤리온, 2014

《꼭 알고 싶은 심리학의 모든 것》, 강현식, 소울메이트, 2010

《아들러의 감정수업How You Feel Is Up to You》, 게리 D. 맥케이 · 돈 딩크마이어Gary D. McKay & Don Dinkmeyer, 시목, 2017

《10년 전을 사는 여자, 10년 후를 사는 여자10年先を考える女(ひと)は, うまくいく》, 아리카와 마유미有川 由美, 웅진지식하우스, 2014

《사람을 움직이는 100가지 심리법칙》, 정성훈, 케이앤제이, 2011

《서른 살이 심리학에게 묻다》, 김혜남, 갤리온, 2008

《심플하게 산다L'art de la simplicité》, 도미니크 로로Dominique Loreau, 바다출판사, 2012

《엘리트 마인드Elite minds》, 스탠 비첨Stan Beecham, 비즈페이퍼, 2017

《좋은 습관은 배신하지 않는다好习惯不会背叛你》, 거둬戈多, 정민미디어, 2017

《몽테뉴 수상록Essais》, 몽테뉴Michel de Montaigne, 동서문화사, 2016

《승자의 뇌Winner effect》, 이안 로버트슨Ian Robertson, 알에치코리아, 2013
《오늘, 행복을 쓰다》, 김정민, 북로그컴퍼니, 2015
《초인수업》, 박찬국, 21세기 북스, 2014

힘들 땐 그만둬도 괜찮아

1판 1쇄 인쇄 2021년 3월 5일
1판 1쇄 발행 2021년 3월 15일

지은이 최정우

펴낸이 강동화
펴낸곳 반니
주소 서울시 서초구 서초대로 77길 54
전화 02-6004-6881 팩스 | 02-6004-6951
전자우편 banni@interpark.com
출판등록 2006년 12월 18일 (제2014-000251호)

ISBN 979-11-91214-49-9 03190

책 값은 뒤표지에 있습니다.
잘못된 책은 구입하신 곳에서 교환해드립니다.